すし通　目次

一、すし

「すし」は「酢し」の意味であるけれど、ただ「すし」と一概にいっても、昔の「すし」と今の「すし」とは全然異なっているし、また今の「すし」でも「握《にぎり》ずし」もあれば、「散《ちら》し」もあって、その意味が総称的であるが、花見といえば桜の花見にきまっているように、「すし」もただ漠然と「すし」といった時には、現今もっとも流行している「握ずし」を指すこととして、ほかの時は「何々ずし」とことわることにする。しかし総括的の意味の場合もあるから、そこは前後の様子からどの意味か判断していただくことを願っておく。

二、鮓、鮨、寿司

◇鮓

日本のごく古い「すし」は今のちょうど酢の物のようなものであったが、それは酢に漬けて酸《す》くしたのではなく、ただ魚を自然に発酵させて酸くしたものであったから、飯は無論ついていなくて、ただ魚だけのものであった。

「すし」は仏教伝来以後、日本にでき始めたのであるから、その製法は支那の「すし」

からまねたもののようである。

そして支那の訳名には「鮓滓也、以二塩米一醸レ之、如レ菹熟而食レ之」とあり、また説文にも「鮨蔵魚也、俗作レ鮓一名魚鱗」とあるから、「すし」本来の字はこの「鮓」が本当である。

日本でも古い賦役令《ふえきれい》、大宝令《たいほうりょう》、それから中世の土宜考《どぎこう》、延喜式《えんぎしき》、さらに近くは徳川時代の大成武鑑《たいせいぶかん》にいたるまで、「すし」はすべてこの「鮓」の字を用いている。

鮓という字は古く「すしな」と読んだものである。それは魚という字を「な」とも読むので、肴《さかな》は酒魚《さかな》であり、鮒《ふな》は付魚《ふな》から鮒魚《ふな》になり鮒になったのであるというから、鮓という字は酢魚《すしな》から鮓《すしな》になり鮓《すし》になったもののように思われる。

また支那では鮓を海月《くらげ》の意味に書いた本もある。

◇鮨

鮨という字は支那で魚醤《しおから》の意味に用いられた例もあるが、元来魚の名であって、鮪《まぐろ》の一種を指して鮨といっているが、それは日本の「しび」鮪に相当している。

文政時代に握鮨ができて、天保になって馬喰町《ばくろちょう》の恵比寿ずしが初めてその種《たね》に鮪を使ってから、後いっとはなしに鮓が鮨の字に変ってしまった。鮪が「すし」の王者の位置を占むる現今では、ほとんど「すし」は鮨の字になりきってしまっているのも無理からぬことである。

関西ではまだ鮓の字を使っている家がたくさんあるのを見受けるが、関西では刺身で

広重の「燕々亭鮓」の図。「東都高名会席尽」は帝国図書館秘蔵の最貴重本の一にして広重・豊国の合作になる絵本なり。上図はその中の一葉を写せるもの。

も「すし」でも、鮪のような赤身はほとんど歓迎されないから、それが鮓が鮨の字に変りきらない一つの理由であるのも、面白い現象である。

鮨の魚偏《へん》に旨《うまい》という字は、よくできているが、「すし」の「す」の音を聞いただけでも、口に虫酸《むしず》が走るといった人もあるが、それには鮓の字のほうが酢の字に似ているので、視覚からも味覚を唆《そそ》るわけである。

要するに古風の「すし」の時は、鮓の字が適当で、現今の東京式の「すし」の時は鮨の字が適当である。

◇寿　司

暖簾《のれん》や看板に書く鮨という字を景気よく寿司と当てたもので、天明ぐらいから後になって始めて使われたようである。

嘉永元年の「江戸名物酒飯手引草」には当時の鮨屋九十六軒が載っているが、この寿司という字を使っている家はわずか二軒ぎりである。おそらく明治に入ってから盛んに使いだしたものと思われる。

三、やすけ、すもじ

◇や　す　け

鮨のことを関西方面の男は「やすけ」というが、それは芝居の義経千本桜鮨屋の場に出てくる主人公弥助《やすけ》から起った名前である。

その弥助という若衆が鮨屋の娘おさとに思いをかけられるが、その弥助というのは、実は平維盛卿《これもり》が戦《いくさ》に敗れてしばし世を忍ぶ姿であったことが知れて、そのおさとは驚きもし、また身分があまり違うので煩悶もするというくだりである。その鮨屋の場というのは、実は原作は釣瓶鮓《つるべずし》の場というのであって、大和国吉野七郷に釣瓶鮓というのがあったのを、浄瑠璃作者が劇に仕組んだところから、その釣瓶鮓のことを関西方面では俗に弥助ずし弥助ずしといったのであるが、それがついに「やすけ」が鮨の異名となってしまったわけである。

大阪で「寿計」と鮨屋の看板にあるのは、東京の鮪をヅケというそれであるという人もあるが、これは「すけ」であって、「やすけ」の略が本当である。

◇すもじ

関西の女がよく鮨のことを「おすもじ」というが、「すもじ」は酢文字であって、酢をバラ撒《ま》くような意味からできた鮨の女房言葉である。

子供が「もじゃもじゃ」の、のたり書きをすることをもじもじを書くというのも、この文字の意味である。女の「かもじ」も同様に、毛がもじゃもじゃしているからである。

それでこの「もじ」を言葉の後につけて、女房言葉とした例がたくさんあるが、多くはこの「もじもじ」の意味、あるいはそれから転化して「混ぜる」とか、「巻く」とか、「廻す」などの意味になっている。楊枝《ようじ》に用いる「くろもじ」の樹皮が黒と緑の二部からなっているから、楊枝のことを「くろもじ」といい、腰巻のことを「湯もじ」、逢うことを「おめもじ」、杓子のことを「おしゃもじ」などというのは皆これらの意味である。旋毛《つむじ》も「つむりもじ」から変ってきたものである。

話は枝道に入って女房言葉のことになるが、室町時代も将軍義満の頃からは驕奢《きょうしゃ》の風が起ってきて、いろいろ儀式ばった事が流行したり、義政の時は支那から茶道が伝わってきて、食事の儀式はいっそう繁雑になって、物の食べ方、茶や酒の飲み方など非常に煩わしくなったものである。特に婦人は礼式を慎んで、食物の名はもちろん、卑俗な事柄、武《ぶ》ばった言葉などは、みな異名をつけたり、婉曲にいったり、敬語を添えたりして呼ぶようになった。今でも汁をおつゆ、餅をおかちん、菜をあおものなどと言っているのは、この時代にできた食物に対する女房言葉の名残である。

前に書いた湯もじ、おめもじ、おしゃもじなどもこの時代にできたものであるが、「すし」を「すもじ」というのは、ずっと後世になってできた女房言葉である。

四、すしの誇り

料理の味については、日本および支那の料理が苦、辛、鹹、酸、甘の五味を備え、西洋が苦、辛、鹹、酸、アルカリ味、金属味の六味を有し、インドは苦、辛、鹹、酸、甘、淡のほかにさらに渋味および不了味があって八味であるといわれている。日本の鮨は酸、鹹は勿論《もちろん》のこと、そのほか山葵《わさび》生姜《しょうが》の辛、玉子焼の甘、さらに緑茶の苦を加え、完全に五味を備えた立派な純日本料理である。

しかも新鮮な生の魚貝を主としている点は、とうてい外国人の食し得ないところであり、また同じ東洋の支那およびインド人でさえ、生でかつ冷たい鮨にはとうてい手が出せないのである。

したがって鮨はその製法を最初支那から暗示されたとしても、その後日本のものになりきってしまっていて、長い間他国の影響を少しも受けていないということは、何よりもその誇りである。

また一方、日本料理は目の料理、西洋料理は鼻の料理、支那の料理は舌の料理であるといわれるが、鮨は鮪の赤、白魚の白、小鰭《こはだ》の青、玉子の黄、海苔の緑など色とりどりに美しくて食味をそそるに充分な目の料理である。

味という内容においても、また色どりという外観からしても、鮨はかくのごとく日本料理の精髄を遺憾なく発揮している。

こんな意味において、鮨は魚食国民の充分誇りとするに足る嗜好品である。

五、鮨礼讃

東京の旨い物屋ではまず鮨屋、鰻《うなぎ》屋、天ぷら屋、蕎麦《そば》屋の四つを挙げるのに誰も異論はあるまい。

そのうち鮨にいたっては、人に好きかと聞くのは野暮で、必ず百人が百人までまず嫌いな人はないものである。

試みに一日の休日を家族打連れての行楽の帰り、この鮨屋の暖簾《のれん》をくぐってみるがい い。

鮪《まぐろ》よろし。赤貝よろし。夕食には早いおやつ代りの腹つなぎである。坊ちゃんは鮪にかぶりつき、嬢ちゃんは玉子焼を手づかみという恰好、親父は鮨を肴《さかな》に徳利を並べ、奥さんは人目はばからず赤貝を頬ばるという光景、さらに留守居役の老人へのお土産の注文となる。

この万人向きの鮨。下戸《げこ》にもて、上戸《じょうご》にももて、子供に好かれ、老人にも好かれ、女によく、男にもよいという申し分のない嗜好品である。

また祝儀にも用いられ、不祝儀にも使われ実に重宝な食物である。

今日は子供の誕生日だ、今日は祖父の命日だ、と母親の手になる鮨はどんなに仏や子供を喜ばすことか。

タネは山の山葵《わさび》から海底の鮑《あわび》にいたるまで、山海の珍味を網羅している。

味も海苔のような淡白なものから、トロ、穴子のような濃厚なものにいたるまで、種種取々である。そしてこれらが神秘といいたいほど、うまく調和しているのが鮨の強味である。

飯と肴と一緒になっていて、立ってつまんで即座に口に入れるという、すこぶる簡単な食物である。鮨は確かにこのスピード時代にはふさわしい。

人なつかしい春の夜に、ほろよい機嫌でペーブメントをさ迷う時、ちょっと横丁に入って濃い粉茶《こなちゃ》をすすりながら、鮨を二つ三つつまむその味はまた格別である。

桜の木の下に重箱を開いて春に浮かれるには、やはり鮨はなくてならないものの一つである。

夏の夜、銭湯帰りのすがすがしい気持で、手拭片手に屋台の暖簾をくぐるのは、また一入《ひとしお》の味がある。

連日の炎暑に身体は物憂く、食欲はなく、三度のご飯もあまり気が進まない時、それでも鮨ならば食指が動くというのは、鮨の魅力である。

郊外散歩に適した秋、遠足に行く児童、猟に出かける天狗連などみな弁当はいずれも海苔巻が第一である。

連れもない汽車の一人旅に、各地名産の鮨折をプラットホームに買い求めるのも、旅のつれづれを慰めるに充分である。

歌留多《かるた》会の夕、一息入れて功名話に花が咲く時、五目鮨が運ばれて話が人参の好き嫌いに移ってゆくのも愛嬌である。

冬の夜長を待ちわびて、ああも言ってやろう、こうも言ってやろうと手ぐすね引いて待つ留守居役の新妻が、ぽんと置かれた土産の鮨に、ツイ「これは旨《おい》しいお鮨ね、どこの?」とでも言ったらおしまいである。せっかくの百策も何のその、待合帰りの亭主も必ず勝ちにきまっている。

江戸の町娘を喜ばした心太《ところてん》や甘酒も、さすが転変極りない時代には勝てず、追々とその影を街からひそめていったが、百年前も今も少しも変らず、都人士《とじんし》——古風にいうなら士農工商、老若男女を問わず垂涎を惜しましめないものがこの鮨である。暖簾がネオン灯に変り、屋台がデパートの食堂に移っても少しも矛盾がない。そこには形態、色彩などの問題もあろうが、なんといっても根本の味覚に亡びない原因がある。鮨が通《つう》な食べ物であるばかりでなく、大衆の趣味に適応している強味である。等々。

下手な鮨屋の鮨を食ったより口を酸《す》くして述べたことは、要するに階級を超越し、年齢を超越し、時代を超越した嗜好品であると高唱したかったからである。

また昔、勝海舟が江戸城開渡しの談判のため、西郷隆盛を訪ねた時、その持参の弁当の鮨を隆盛にすすめ、隆盛がその美味に打たれている間に、海舟はぐいぐいと話をすすめてその目的を達したという話もある。

話は堅苦しく野暮になるけれど、一般に減酸症の人は鮨や酢の物を摂ることを昔からもすすめられているし、血圧昂進症の人も酸の必要上、げんに鮨を盛んに食べている。飯を主体として、それに栄養豊富な新鮮魚貝類をあしらったところ、食慾昂進剤として山葵《わさび》、生姜を添えた点、確かに鮨は一握りのうちに、現代栄養学上の好条件を具備していて、文化食物の上々なものである。

六、鮨の由来

◇鮨の起源

何事でも物の起源を正すことはなかなか容易のことでないが、鮨もその例にもれず、いつ頃からできたものか詳《つまび》らかでない。

しかし約千七百年前、神功皇后三韓征伐の時、食糧として鮨様のものを持ってゆかれたという話を聞いているが、その真偽のほどは解らない。

支那においては安禄山《あんろくざん》が唐の玄宗皇帝から玄猪鮨《げんちよずし》を賜ったことは有名なことで、「西《せい》陽雑俎《ようざつしょ》」にも「山堂肆考《さんどうしこう》」にも出ているから、支那ではすでに千五百余年前、鮨というものがあったことは明らかである。日本における鮨にたいする文献の最も古いのは、持統天皇の持統三年に発せられた賦役令であって、その中に、

鰒　一八斤　海　松　一三〇斤　堅　魚　三五斤

凝海菜	一二〇斤	烏賊	三〇斤	雑腊(干物)	六斗
螺	三二斤	海藻	八斗	熬海鼠	二六斤
未滑海藻	一石	雑魚楚割	五〇斤	鰒鮓	二斗
雑魚	一〇〇斤	貼貝鮓	三斗	紫菜	四八斤
白貝俎	三斗	雑海藻	一六〇斤	辛螺頭打	六斗
海藻	一三〇斤	貽貝後打	六斗	滑海藻	二六〇斤
海細螺	一石	耕田蟹	六斗	甲蟹	六斗
雑鮓	五斗	近江鮒	五斗	煮塩早魚	四斗
煮堅魚	二石五斗				

とあるから、この当時を日本の鮨と名の付くものの起源とみて差支えあるまい。しかしこの当時の鮨は現代の鮨とは違っていて、ただ魚肉、貝類を塩にして久しく圧し熟《な》らし、自然に酢味をおびさせただけのものであって、現代のような飯に酢を混ぜたり、魚貝類を酢につけたりして作る鮨とは全然異なったもので、すなわち「すしな」(酢魚)であったのである。ただしこの製法は支那の鮨をまねたもののようである。

その後十四年して文武天皇の大宝二年、大宝令制定せられて、その中の食品の部にやはり鰒《ふぐ》の鮓、雑鮓、鯉《こい》鮓、貽貝《いがい》鮓などあるところを見ると、その当時鮨は非常に嗜好されて、常食の一部であったことが窺われる。

◇藤原時代の鮨

藤原時代になってからは諸国から種々の鮨が朝廷に献上されたことが延喜式に出ている。すなわち鯛春鮓を伊勢から、鮒《ふな》鮓を近江・筑前・筑後から、貽貝鮓を三河および伊予から、保夜交鮓を若狭から、雑魚鮓を阿波・備前・伊勢・尾張・若狭・志摩・淡路などから貢献したのであった。その他の書に鹿・雉子《きじ》の鮓も二、三あったと出ているから、昔は魚介類に限らず獣類も鮨に用いたものである。

この当時の鮨もやはりその以前と同様まだ飯を用いない「すしな」であった。しかし一説にはこの当時にはすでに魚の腹の中に玄米を入れて圧し熟らしたり、飯の中に塩にした魚を入れて圧し熟らし始めたということもいわれているが、疑いの余地が充分である。

しかしこの藤原時代には上流社会で精米を炊いて、いわゆる姫飯《ひめめし》といって現代のものと同様なものが流行し始めたから、食物や調理の方法が多少進歩したようである。したがって鮨に玄米を用いるくらいは考え出したかも知れないが一般的ではなかったようである。たとえ玄米を使用し始めたとしても、まだ飯は食べるのでなく魚を醗酵させるために使用したのであるから、要するにまだ「すしな」時代であったのである。

足利の末葉まではこの方法で鮨は作られていたのである。

◇江戸時代の鮨

江戸時代に入ってはじめて、魚を熟《な》らすのに白米飯を使用したことが明らかである。

これは熟鮓《なれずし》といわれているが、製法は以前と違って魚を塩にまぶして一晩圧石《おし》を置き、翌日水気を拭い、清め、精米にて作った冷飯を用いて桶に蔵《おさ》め、また重石を置き味が熟したのを待って魚を取り出して食べるのであるから、やはり相当長い時間がかかって五、六日を要したのである。

それでも飯を使わなかった当時は鮨を作るに二、三ケ月もかかったのであるから、それに比べると非常な相違である。これは明暦の頃まで続いている。

江戸初期までの飲食店というものは、ただ旅人の空腹を満たしたり、あるいは単に茶を飲んだりするだけの所であったが、明暦の大火後、江戸市中にはじめて料理店と名のつくようなものができ始めて、これが漸次《ぜんじ》流行したのである。東京に震災後、飲食店が大流行したのと同じ現象である。

それに霊元天皇の延宝年間に医師の松本善甫という人がはじめて飯を使った前記の方法を案出して、これを世間で松本鮓と呼んでいる。以前には鮨が欲しくて鮨屋に行っても、鮨屋は今日から幾日たって来いというようなすこぶる呑気なやり方であったから、これを「オチャレズシ」といって、松本鮓のほうは直ちにできるから「マチャレズシ」といったということである。料理屋の勃興につれて鮨屋も漸次でき始めて、貞享の頃から後には次のような記録がある。

貞享四年　四谷舟町横町近江屋、駿河屋（江戸鹿子）

宝延四年　深川鮓、深川富吉町柏屋（江戸総鹿子）
宝　暦　阿満《おまん》ケ鮓、京橋中橋（江戸塵拾）

この当時のものも、まだ熟鮓であった。

また呼売もあって、丸い桶に古傘の油紙で蓋をして鯵《あじ》や鯛《たい》を数日間漬け込み、それを鯵の鮨や鯛の鮨と呼び歩いたものだそうである。

また屋台鮨については宝延頃の草紙に両国広小路に鮨売の出たるところを写して、今の涼台《すずみだい》のようなものを置き、その上に売手が坐って傍に鮨箱と行灯《あんどん》とが画いてあるから、これが屋台鮨の嚆矢《こうし》であろうという人がある。しかし天明年間出版の「反古染」によると、以前から芝神明の祭礼には鮨を売って名物となっていたが、宝暦の初めには錦鮨という屋台鮨が芝にできて毎晩売って三国一

鮓売（天保ごろ）

の名物といわれるまでに評判になったとあるから、このほうが屋台鮨の元祖ではないかと思う。

天明時代になると、鮨の製法も少し進歩してきて、今までの熟鮓のようにできあがる

までに数日もかかるものではまだ困るので、早鮓《はやずし》または一夜鮓という簡単なものを考え出した。それは最初鮎《あゆ》のような魚を苞《つと》に入れ、焚火《たきび》で炙り、石で圧すか、または柱に巻きつけるかして製したのであるが、後になってからは、魚の身をおろし、飯の米の熱いうちに魚の腹の中に詰め込み、それを箱に入れ圧石を置き、一夜にして取り出して食べるようになった。要するに以前の方法に熱を加えて醱酵を促進させたものである。

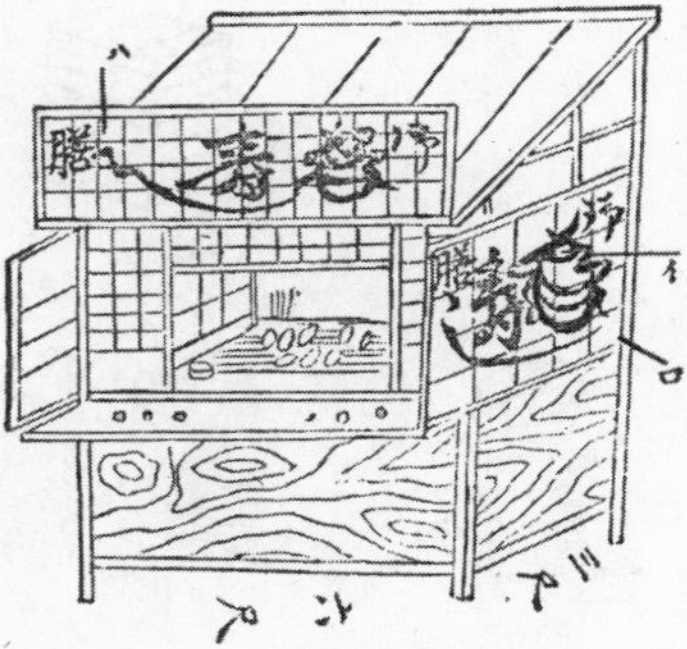

屋台見世の図（天保ごろ）

　この早鮓の方法は今なお各地に残っている。

　天明時代には鮨の製法も進歩したと同時に鮨屋も増えて、天明七年刊行の「七十五日」という商標を集めた本には当時の鮨屋が二十四軒も出ていて、中に笹巻鮓《ささまきずし》の名前も載っている。また銀座三丁目の長門《ながと》鮓の商標には、鮒《ふな》の昆布巻も広告してある（この当時から明治にかけて、冬は鮨が売れなかったので、鮨屋は昆布巻を兼業したものであるということである）。また敷島屋勝三郎の商標によると、海苔巻、玉子焼などを始めている。箱鮨もこの時代に起ったようである。

　また、安永からこの天明初期にかけての流行物を集めた文句に「三寸紋、五寸模様に日傘、小鰭《こはだ》の鮓に花が三文」というのがあるから、小鰭は当時盛んに賞味されたものらしい。

文化のはじめ頃、深川六軒堀に有名な松ケ鮓というのができて、文に、歌に、川柳にいろいろ書かれている。

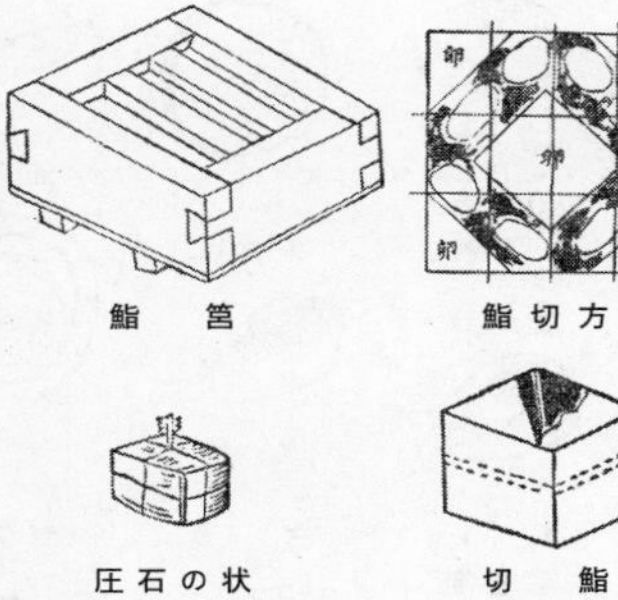

箱鮨とその要具（天保ごろ）

そしてこれがため、世上の鮨の風一変すとあって、すばらしく贅沢な箱鮨であったらしい。しかし現今のごとき握鮨はまだ出現していない。

文政になって両国の華屋《はなや》与兵衛がはじめて現代式の握鮨を売出して、評判を取ったものである。しかしこの時の飯の酢は、現代のように炊いてから酢をふるのでなく、最初より炊き込んだものである。

これより少し以前に敷島屋勝三郎という鮨屋が飯を炊いたあとから酢を混ぜる方法を考えたけれど、流行するにはいたらなかった。

守貞謾稿《もりさだまんこう》によると、またこの文政の末期ごろ大阪戎橋《えびすばし》南に、松の鮓と名づけて江戸風の握鮨を売り始めたものがあったと出ている。

天保時代になってから、鮨屋は江戸市中に勃興して、蕎麦《そば》屋は一、二町に一戸ぐらいしかなかったけれど、鮨屋は毎町一、二戸ぐらいあったほど流行したものである、というが、これは少し大げさのようである。

この時代には箱鮨はほとんど廃《すた》って、大半握鮨となってしまった。

そのタネは玉子焼、鮑《あわび》、小鯛《こだい》、小鰭《こはだ》、白魚、海老、おぼろ、穴子、鮪《まぐろ》などで、鮪の握鮨はこの時、馬喰町《ばくろちょう》の恵比寿ずしがはじめて売り出したものである。その当時鮨の相場は一個四文が普通で、高いものは五、六十文もとったということである。笹巻鮨は少し高くて六文であった。

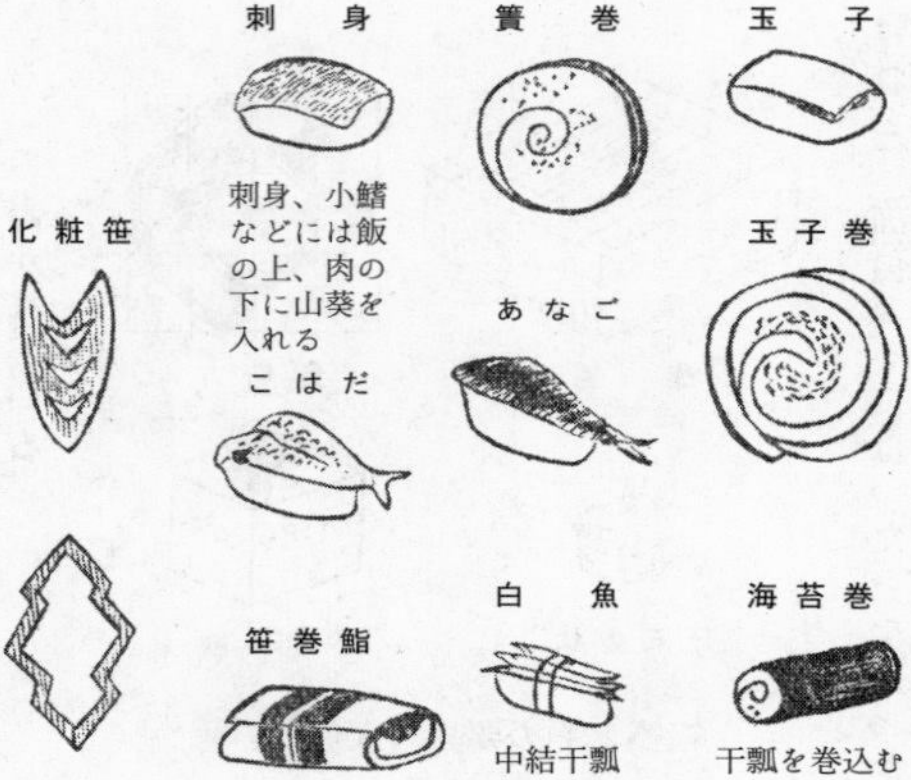

ところが時の執政水野越前守が暴利取締令を出して呉服屋・小間物屋・下駄屋・菓子屋など二百余名を捕えて手錠にしたが、文化の頃から有名だった松ケ鮓も「算盤《そろばん》づくならよしなまし松ケ鮓」といわれたくらい法外に高かったので、同様捕えられて罰せられている。で、一時は四文高くて八文ぐらいだっ

たが、その後布令もしだいに弛んでまたじきに二、三十文ぐらいはするようになった。また五目鮨や稲荷鮨は、この当時でき始めたものである。五目は百文から百五十文ぐらいだったというが、これは高い時の相場ではないかと思う。嘉永元年出版の「江戸名物酒飯手引草」には鮨屋が九十五軒のっている。

◇維新前後の鮨

この当時の鮨はもはや今とあまり変ったものでない。小鰭、鮪、穴子、玉子焼などたいがい同じような種《たね》であるが、値段は屋台でたいていまず一つ八文ぐらい、それで魚を惜しまなかったためか今よりは美味かったような気がすると高村光雲翁が語っている。その職人がまた気の利いたこしらえで、食物職人中では一番派手な恰好だったそうである。手拭を吉原冠《かぶ》りにして粋な、物ぎれいなこしらえの売子が、舟の形の鮨桶を積み重ねて肩にかついで、ヒッカケ草履で「すしやこはだのすーし」という良い声で歩いたが、これと鳥追女《とりおい》とが当時「いなせ」の代表的なものであった。

◇現今の鮨

いま東京で鮨と呼ばれている主《おも》なるものは握鮨、五目鮨それから稲荷鮨であって、これらは文政および天保の頃できた。それらのものがほとんどそのまま変化なく昭和の今日まで続いているのである。

◇昔の丸鮨の笑話

だから現代の鮨はまず百年の歴史を持ったものであると言っていい。

児《こ》みなくたびれ、帯も解くや解かずにいねたる所へ、老僧来りて、さてさて爰《ここ》な子供がなりは、そのまま鮨おしたやうなは、と申されける時、児の中に賢きが起き合せ「いかほどの鮨も見たれど、これほど腹に飯のなき鮨を見たる事なからん」と。(醒睡笑《せいすいしょう》)

七、古来有名なりし鮨

◇釣瓶《つるべ》鮓《ずし》

釣瓶鮓というのは、大和下市村の名産で、吉野川でとった鮎《あゆ》を鮨に作って、釣瓶形の曲物《まげもの》に入れて売ったので名づけられたものである。昔は鮎をとって鮨とし、これを曲物に入れて、吉野川の水中に沈め置き、熟するを待って取り出したから釣瓶鮓といったという一説もある。

しかし現代の釣瓶鮓屋が書いているその由来記は次のようであるが、その真偽を正す野暮は抜きにして、そう思って食べれば一段と趣が増すというもの。

「文治年間、三位《さんみ》維盛《これもり》卿八島敗戦の後、遁《のが》れて近畿に帰り、ついに熊野に潜行せらるる途路、旧臣宅田弥左衛門の家に久しく潜匿《せんとく》せらるるに際し、名を弥助《やすけ》と改め、世俗伝うるところの院本義経《よしつね》千本桜その三版中談ずるところの釣瓶鮓屋弥左衛門は、すなわち宅田弥助の祖先なり。その頃より庭園を築き維盛卿の塚、若葉社とこの内に存在せり。爾《じ》来《らい》年をふること七百有余年、系統連綿相続き、釣瓶鮓の商を業となし以て今日に達す。

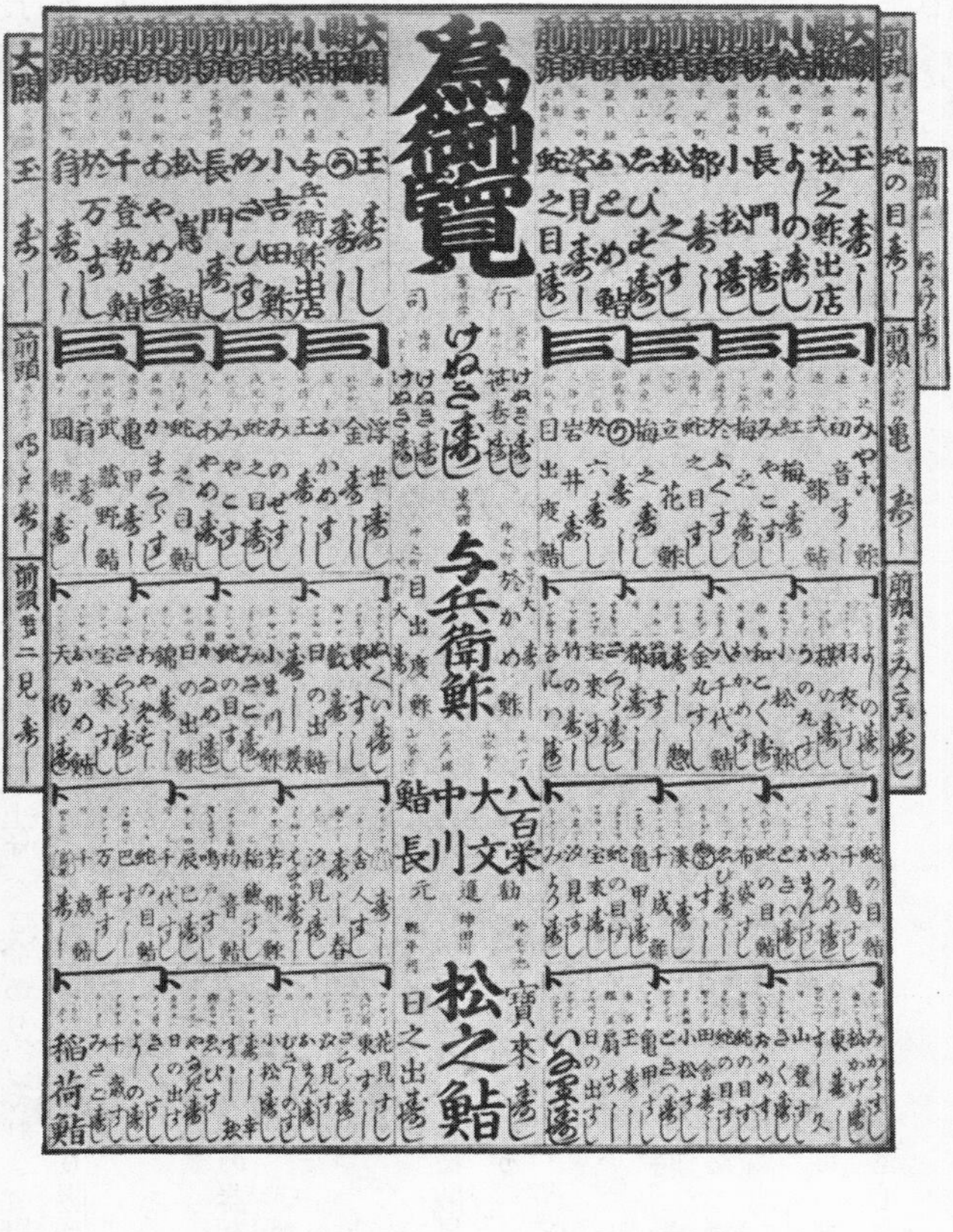

明治初期の鮓屋の番付(和田富太郎氏秘蔵)

慶長年間、後水尾《ごみずのお》天皇の朝に当り、仙洞御所へ鮎鮓献上すべき命あり。それより御上、御鮓所、御鮓屋と格式御許容相成り、自今《じこん》屋上揚ぐるところの招牌は御所より賜わるところなり。」

なお「三十三ケ所名所図会」にも献上のことが出ている。

また「義経千本桜」からこの鮎は有名になって、天明の頃には江戸にもこの器をまね、屋号も釣瓶鮓というのが、横山町、日本橋通、浅草茅町の三ケ所にできたが、いずれも今は昔となってしまった。

◇おまんケ鮓

これは宝暦の初めごろ京橋中橋にあった鮨屋で、有名だったので種々の本に散見するが、そこの娘の「おまん」が非常な器量よしで評判になったとか、かみさんが美人だったから流行《はや》ったとか、いろいろ書かれているけれど、それは江戸塵拾によると誤りであることが察せられる。それは当時流行の俗謡に「京橋中橋おまんケ紅よ」というのがあって、子供が夕陽の雲に紅く映ずるのを謡《うた》ったものであるが、ちょうどその時、長兵衛というものが京橋中橋に鮨屋を開いたので、その「おまん」という名をつけたまでのものである。

こう洗いざらしにしては艶消しだとか野暮だとか人にいわれるが、器量よしの娘やかみさんに結びつける俗っぽさより、「おまんケ紅よ」から取った長兵衛の酒落心をくんでやりたい。

そして当時は鮨屋が珍しかったから、またこの店が非常に流行して、種々文献にあらわれているわけである。

◇宇治丸鮓《うじまるずし》

宇治丸鮓というのは鰻《うなぎ》鮨のことで、今はあまり作らないけれど、昔はかなり流行したもののようである。ことに京都で宇治川から獲れた鰻を鮨にして、宇治丸宇治丸といって一時珍重したそうである。

「貞丈雑記《ていじょうざつき》」にも出ているが、製法はまず裂いた鰻をよく洗い、水を切り、三、四片ぐらいに短く切り、一晩酒と塩とを食塩《くいしお》より辛目に混ぜてこれに浸し、翌日普通に塩漬けとなし、蓼《たで》または紫蘇《しそ》の葉でこれを巻いて、圧石《おし》を中ぐらいにして鮨としたものである。

◇毛抜鮓

鮨の勃興期、天保の頃、竈河岸《へっついがし》に「毛抜鮓」と称する鮨屋があって、笹巻鮓を売っていた。この時は笹巻鮓が流行し、このほかに三軒もあったが、この当時のものは切鮓を笹の葉で巻いたものであったという。

西澤一鳳《いっぽう》の「皇都午睡」に「……上方者の口に合えば毎度求めながら、毛抜鮓とは、魚の骨を抜きたるゆえ呼ぶかと思いしに、よく考えればよう食うとの謎なるべしと悟りぬ」とある。

いま竈河岸にある毛抜鮓はこの末流である。なお市中に一、二軒毛抜鮓というのがあるが、いずれもこの支店で、同様笹巻鮨を売っている。昨今の笹巻は握鮨を笹で巻いたもので昔のように切鮨を巻いたものではない。しかし、鮪《まぐろ》、穴子のようなものはなく、すべてタネは酢の物を主としているが海苔巻、玉子焼などを笹で巻いたものもないではない。

そしてタネが酢の物のものは数日置いてもなお食味が変らないというので、遠方への土産によく使われる。大正三年のコレラ大流行の時は生もの禁物であったが、この鮨だけは金杉病院の木戸御免だったと、神田淡路町の毛抜鮓主人が得意になっていた。

◇松ケ鮓

文化の初めごろ深川安宅町の御船蔵横町に、柏屋松五郎の名を取った松ケ鮓という有名な鮨屋があったが、流行山人はこれを激賞して、「玉子は金のごとく、魚は水晶のごとし」といっている。「嬉遊笑覧」には「松ケ鮓できて世上鮓の風一変し云々」とある。松ケ鮓は俗称で、ほんとうは砂子鮓《いさごずし》という家名だが、場所が安宅町で主人が松五郎というところから、通人が安宅の鮓とか松ケ鮓とか呼んだのだという話である。それで、

伊豆山葵《わさび》隠しに入れて人までも泣かす安宅の丸漬の鮓

という狂歌があるが、それはそこの評判の鯖《さば》の丸漬の鮨を詠んだのであるが、鮨に山葵を使ったのはこれが創始であると言っている人があるが事実らしい。

日本橋竃河岸の「毛抜鮓」。代は変っているが天明時代からの古い家。
笹巻鮨がその専業で今なお高貴の方々の御用が盛んである。

三聖もうましと云はん松ケ鮓

酢を嘗《な》めて孔子は酸《す》し、老子は甘し、釈子は苦しといった喩話《たとえばなし》があるように、味は十人十色のものであるが、松ケ鮓ばかりは万人向でその美味《おいし》さは誰も異論はあるまいという意味である。

荒神様へお土産の松ケ鮓

これは朝帰りの宿六が、台所の神である嬶《かかあ》大明神のご機嫌を取るためである。この鮨屋は明治になるまで美味なのと高いのとで有名であった。その後浅草に移ったが今はなし。

算盤《そろばん》づくならよしなまし松ケ鮓

と川柳に詠まれているが、天保頃は四文が普通であったが、この鮨は大きさも大きいが五、六十匁もとったので、執政水野越前守が布令を出して呉服屋、小間物屋など暴利をむさぼるもの二百余名を罰したが、このとき与兵衛鮓とともに同罰に処せられた。

◇与兵衛鮓

「江戸に握鮨の起ったのは文政の初年で、今の与兵衛鮨の初代がこの新法を案出したのである。もっとも与兵衛以前にもこの法を企てたものも二、三はあったようであるが、みな失敗に終って市人の嗜好を呼ぶほどには至らなかった。」

と俳人小泉迂外《うがい》氏は言っている。同氏はいま両国にある与兵衛鮨主人の令弟で、この鮨については種々の本に委《くわ》しく書かれているから、その言を借りれば、与兵衛が握鮨を工夫した事は、文久子（書肆浅倉屋主人）の「またぬ青葉」（明治二十年著写本）に、

「握鮨を初めしは、昔の鮨を見るに飯多くして下品なれば、これを改めんと斯《か》くてこれに至りぬ。また当時の鮨は魚の油を絞りて握りたる飯につけ、箱の中に列《なら》べて笹の葉にて一ツずつ仕切り、その上に蓋もて掩《おお》い、石を置き、三、四時間ほどたちて蓋をとり、鮨べらという竹べらにて一つずつはがし取るなり。ゆえに三日ぐらい置いても変らず、客来ればただいますぐに出来ますなどという。翁はこの悠長なるを厭《いと》い、また押鮨にてはせっかく美味を持てる魚も、油を絞りまずくすること本意に非ずと、初めて握り早漬《はやづけ》を工夫せしなり（与兵衛伝抄）」と記されてある。

当時江戸の食味はほとんどその頂点に達し、山谷に八百善起り、深川に平清開かれ、葛西太郎、百川などの名料理店が前後して腕をきわめた時代であるから、したがって日常の口嗜《こうし》も発達し、京伝、三馬の洒落本にもしばしば食物通が引用され、菓子、蕎麦《そば》、天ぷらにいたるまで新奇を求め、珍しい食物は先を争って試みたという風であるから、勢いおっくうな保守的なる押鮨は、ついに江戸人士の厭《いと》うところとなって、これに代る

べき握鮨は多大の賞讃を得て迎えられた。
銅脈山人の「江戸名物狂詩選」に、

流行鮓屋町々在　此頃新開両国東
路次奥名与兵衛　客来争坐二間中

と出ているし、また「武総両岸図抄」にも、

鯛《たい》ひらめいつも風味は与兵衛鮓
　買手は見世《みせ》にまって折詰　菊成

こみあひて待ちくたびれる与兵衛鮓
　客ももろ手を握りたりけり　生成

などの狂歌が上っている。

おぼろ鮨というのもこの時代に与兵衛が創案したので、ある日定客である牧野家（俗に海賊牧様で通用）の御留守居某が立寄られ、これまでになき変った鮨を出せとの注文に、翁はしばらく工夫にふけった末、小海老を煮て摺《す》り、「おぼろ」を拵《こし》らえ、これを即座

両国の「与兵衛鮨」。握りの鮨の元祖で文政二年の創業。当主はその八代目で今なお元老として鮨界に活躍しているのはめでたしめでたし。

に握ってすすめたところ、いたく意にかなって推奨せられたので、ついにこれを公《おおやけ》にして呼物としたのである。

当時は芝海老の需要者がまことに少なく、したがって価格も至廉であったので、翁がこの点を利用して盛んにつくり出したなどは、その着眼と頓才には敬服すべきである。その他屋台で山本の茶を汲んですすめたなども、江戸趣味の人気に投じたやり方である。

八、鮨の種類

鮨が万人向きの嗜好品であるというのも、結局鰻《うなぎ》や天ぷらのように作り方や材料が偏していないからで、その作り方は千差万別であり、材料は種々取々だからである。まずその作り方から大別してみると、だいたい次のような種類になる。

魚の鮨――魚ばかりの鮨ですし、な、早鮓、宇治丸鮓、鮒《ふな》鮓、みさご鮓など。

飯の鮨――握　鮨……東京の「握り」的のもの。
巻　鮨……海苔巻、笹巻鮨など。
詰　鮨……稲荷鮨。

混　鮨……五目鮨／「もく」を飯に混ぜ込んだ家庭料理式のもの。
散《ちら》し鮨／具を飯の上に散した東京の「散し」など。
蒸　鮨／「散し鮨」を蒸した大阪鮨。
圧　鮨……熟《なれ》鮨／魚と飯とを圧し熟《な》らしたもの。
箱　鮨／飯の上にタネを並べて圧した大阪式のもの。
丸　鮨／丸ごとの魚に飯を詰めて圧したもの、雀鮨など。
特種の鮨――卯の花鮨、蕎麦《そば》鮨、香の物鮨など。

九、魚の鮨

鮨の由来のところに書いたように、ごく古い鮨は自然に酢味を持たせた魚ばかりであって、「すしな」といっていたものである。その後、早鮓あるいは一夜鮓ができて飯を使ったけれど、それは醗酵作用を利用したもので、やはり魚ばかり食ったものである。これに似たものがまだ各地方に残っていて、近江の鮒《ふな》鮓、北海道の鰊《にしん》鮓など有名である。こんなところから魚を酢に漬けて鮨と呼んでいるものもある。鮎《あゆ》の竹鮓、宇治丸鮓などこの種である。

そこでこの魚ばかりの鮨で名のあるものを、次に少し列記してみよう。

◇釣瓶《つるべ》鮓

鮎を昔は塩漬けにして鮨としたが、今はそれを酢に漬けて鮨とした魚ばかりの鮨。大和の名物。

◇宇治丸鮓

鰻を酢に漬けて鮨としたもので、昔京都の宇治の名物。

◇柱　鮓

鮎を苞《つと》に包んで焚火《たきび》で焙り、柱に綱でくくりつけておくと、一晩に熟《な》れて食べられるようになる。これを「柱鮓」という。柱にくくりつけるのは圧石《おし》を置いて熟らす代りである。

現今では作らないが、酢の用い方を知らなかった江戸初期に作ったもので、早鮓すなわち一夜鮓の始まりである。

当時の俳句に、「なれきといざとけ真木の柱鮓」（凡董《きとう》）とあるのは、この鮨である。

◇鮎の竹ずし

七、八月頃の鮎の獲れる季節に、三伏《さんぷく》の炎暑を冒《おか》して鮎の友釣に興ずる人があるが、それらの人々が釣をしながらよくこの鮎の竹ずしというのを作って、帰ってから一杯傾けることがある。

それはまず青竹を切って、一節ずつの筒にして口のほうに糸をつけ、腰の囲りに鳴子の竹のようにぶら下げ、中に少し塩と酢とを入れておいて釣に出かける。まず清流に糸を垂れて、鮎が釣れたらすぐその糞便を押し出して河水で洗い、生きたまま頭を下にして前の腰に下げた竹筒に差し込むのである。これを操り返しつつ炎天下を右往左往して銀鱗を追うと、鮎の入りたる竹筒は炎熱を受けつつ前後左右に振られて温味《ぬくみ》を生じ、鮎は酢に熟らされ、青竹の芳香は移り、その風味は得もいわれぬものとなる。これを鮎の竹ずしといって、太公望《たいこうぼう》のみ知る珍味である。

◇鯛《たい》の巻鮨

鯛の腸《わた》を抜き、腹いっぱいに薯粉を詰めて、上から隙間なく縄を巻いて、数日熟らし鮨としたもので、紀州の名産である。

◇鰊《にしん》鮨

鰊を水に浸して柔らかくなったところを水から揚げ、別に二つ切りにした半乾大根を一列に敷き、その上に前の鰊を並べさらに塩と糀《こうじ》を振りかけ、その上にまた大根と鰊を並べ、かくのごとく幾重《いくえ》にも重ねた後、適当な圧石を置いて数日熟らし、熟れ加減をみて食べるのであるが、普通は鰊も大根もともに食うものである。中にはその大根ばかりを食う贅沢な人もある。

北海道や加賀に行った人はよく食べさせられる。

◇鰍《かじか》鮨

鰍鮨は一名九日鮨《ここのかずし》ともいって、栃木県鬼怒川《きぬがわ》で捕れた鰍で作るもので、その地方の名産である。七、八月ごろ味の乗り切った盛りの鰍を塩漬けとし、陰暦九月九日の三日ぐらい前に取り出して塩をよく水で抜き、酢で味をつけた飯と交互に入れ、柿の葉を敷いて桶に漬け、圧石《おし》を置いて三日ぐらいたって賞味する。すなわち重陽《ちようよう》の節句、九月九日頃に食べるので、九日鮨の別称がある。

柿の葉の香りと、鰍の味がよく調和して美味なものである。

◇近江の鮒鮨《ふな》

琵琶湖の源五郎鮒を飯の醗酵によって鮨にしたものである。腐った溝泥《どぶどろ》のような異様な臭気がぷんぷんとするので、たいていの人は辟易《へきえき》してしまうけれど、食べつけると実に旨いものである。

しかし波多野承五郎氏は、これが源五郎鮒でないことを次のように言っている。「江州の鮒鮨は源五郎鮒で拵《こしら》えたもののように思っている人が多いが、実は似五郎鮒《にごろうぶな》で造るのである。似五郎鮒というのは、源五郎鮒に似ているからこういう名が付いたのだが、しかし源五郎鮒より形が丸いから、源五郎鮒を「真鮒《まぶな》」というのに対して「丸鮒」ともいうし、またそれが鮨につくられるところから「鮨鮒」ともいわれている。」

滋賀県の者にこれを正したら、今は普通の鮒だが、昔はやはり源五郎鮒で作ったものだといっていた。しかし素人のことだから正否の点は不明である。

この鮒鮨を作るには、まず鮒のわたを出して塩漬にしたものと、塩を少し利かせた飯とを桶に交互に敷き、上に竹の皮をのせ蓋をし、圧石を置いて、その上から水を湛《たた》えて二、三ケ月置くと、飯は醗酵してドロドロになり、一年もすると鮒は鮨にできあがるのである。

四谷見附の「美佐古寿司」。「四谷に過ぎたもの一つあり」とまで小島政二郎氏が賞めた家で水上瀧太郎氏もここの華客の一人。人見絹枝氏が神宮外苑帰りに寄って四、五人前もペロリと平げるという噂。

食べるにはこの数片に鰹節か昆布の熱い煮汁《だし》をかけておつゆにして食べるといいという人もあり、鮒を細かく刻んでネバネバの飯とともにご飯の上にのせ、濃い茶をかけて食べると旨いという人もある。また味淋をかけて食べる人もあるが、いずれも邪道のようである。やはり細かく切って、酒の肴にそれだけを食べるのが一番味に趣がある。

大津や彦根のステーションなどで売っているが値段は馬鹿に高いものである。栄養豊富で強壮剤だといわれているのは、実は高くて少量でそのうえ異臭があるところからそう思われているだけのものである。

◇鶚《みさご》ずし

「鶚ずし」といって、奇食家が非常に

喜んで賞味する「すし」があるが、それは鶚という鳥が水上で捉えた魚を岩石の間につみ置いたものをいうのである。

その鶚は猛禽類中の鷹科に属する鳥で、大きさは鳩ぐらいあって、背部は褐色で、腹部は白色をなし、水上を飛び廻って巧みに魚を捉うるのである。

もしもこの魚がシュンの鮎ならば、その芳烈の気は実に人界のものとも思われないほどだそうである。

貞丈《ていじょう》翁随筆中には、その魚が潮汐に浸って、自然に熟するのだと書いてあるし、またある書には「鶚の尿は塩分あり、酸味を帯び、よくその腐敗を防ぐに足るゆえ、その尿水の作用により鮨になる」と書いてあるが、鳥の尿とはちょっと首肯しがたい。また動物図説には、「鶚ずしとは、鶚の肉にて作りし鮨なり」とあるが、これは全くまちがいのようである。

またある人はその魚を取ってきて、塩醤《しおから》で加味すると、ちょうど人間の作った「すし」のようになると言っているが、実際は、その「鶚ずし」を食ったということを一度も聞いたことがない。

四谷見附や、そのほか東京市中に、二、三ケ所「みさごずし」という「すし屋」があるが、これはこの「鶚ずし」から取った名前である。

◇まがり鮨

これは鯔《ぼら》の鮨であって、鯔をやや辛目に塩にして飯と麹《こうじ》と混ぜた桶に漬け、半日ほど圧したもの。切形《きりがた》して取肴《とりざかな》に用う。

◇泥鰌《どじょう》の鮨

泥鰌を割き、いったん塩にしてから酒に漬け、さらに塩の強い飯に漬けこんだ鮨。

◇小鯛飯無鮨《こだいいいなしずし》

小鯛の鱗を取り、腸《わた》を出し、頭、骨などをとり、完《まる》のまま焼塩を入れた酢に一時間ほど浸し、取り出して酢を切り、布巾でしっかりと巻き締め、圧したもの。

十、握鮨

飯とか豆腐の殼とかに酢と塩とで味をつけて、それを握り、その上に肴《さかな》とか野菜とかをのせて鮨としたものが「握鮨」である。肴を使ったものは現代東京で流行している「握り」であって、野菜を使ったものはごく稀である。

その握りも材料がいろいろあるが、いま便宜上タネの材料で大別すると次のようになる。

動物性――なま……鮪《まぐろ》、鰹《かつお》、鯛《たい》、平目《ひらめ》、鱒《ます》、鰆《さわら》など。

光り……小鰭《こはだ》、鯵《あじ》、鯖《さば》など。

貝……赤貝、鮑《あわび》、青柳《あおやぎ》、平貝、みる貝、とり貝など。

煮　物……蛤《はまぐり》、穴子、きざみずるめなど。
茹　物……海老、しゃこ、烏賊《いか》、章魚《たこ》、白魚など。
玉子焼。
おぼろ……海老、鯛、平目、鱈《たら》など。

植物性——香の物鮨など。

しかし、こう分けてみたものの「光り」は「なま」の部類だといえばいえるし、蛤なども「貝」であり「煮物」であるから、その間確然《かくぜん》たる区別をつけるのは困難なことで、そのへんはご諒承願っておく。

その握鮨をこんどは肴ののせ方、すなわちタネのつけ方によって区別してみると、

丸づけ——魚を開いて、一匹丸ごと握った飯の上にのせたもの。頭はなくとも丸づけという。小鰭、小鯛など小魚はみなこうする。海老もまずこの部類。穴子の場合は長すぎるので尾を折りかえしてつける。鮎などは頭付。

片身づけ——小鰭などでも少し大きくなると、片身ずつつける。

切身づけ——鮪、鯛などの大きなものは、切身にしてつける。穴子の大きなものは、斜に切ってつけるのが関西式である。

二枚づけ――小鰭の新子《しんこ》のようなごく小さいものは一握りの飯に二匹並べてのせる。通人が喜んで食う。

かくしづけ――タネを握り飯の中にかくしてしまうもの。鮨屋が鮪などの切れ端を握り込んで、よく自家用にするが、これを客に出してただの握り飯だと思うと中から真の鮪が出てきて客が驚くという凝ったことをする通人があった。

うちづけ――飯と飯との間にタネを置いて握ったもの、これを握り切る職人は少ないと鮨屋は意張《いば》るが、サンドウイッチのまねか、関西のまむし丼のまねであろう。

帯づけ――白魚、赤貝のひも、三つ葉など細いものは並べて海苔や干瓢《かんぴょう》で帯をする。

鞍掛――平貝などを二つに開き、本のようにして握鮨の上にのせたもの。

柏――五目鮨などを握って外から「ゆば」などで包んだもの。

十一、巻鮨

巻鮨にもいろいろあって、巻く材料によって分けると次のようになる。

海苔巻――浅草海苔で巻いたもので太巻、細巻などある。蕎麦《そば》を海苔で巻いた鮨もある。

伊達巻――玉子焼で太巻にしたもの。飯の心《しん》には椎茸、干瓢など入れる。飯に海苔をもみ込んだものもある。

鉄火巻――鮪《まぐろ》を飯の心に、山葵《わさび》をきかせ、海苔で細巻にしたもの。

鮪巻――飯を鮪で太巻にし、それを輪切りにした綺麗なもの。

昆布巻鮨――魚をおろして、長く大身に切り、塩と酢とで味をつけ、さらに昆布で巻いて締め、味を出したもの。小口切りにして食う。昔は冬、鮨屋で作ったもの。だけれど今はほとんど造らない。しかし京都の鯖《さば》鮨など飯とともに昆布で巻いたものもある。

笹巻鮨――魚を酢にしたタネの握鮨を、笹の葉で巻き圧石《おし》を置いたもの。

◇粽《ちまき》鮨《ずし》

笹の葉に好みの握鮨、または圧鮨の切ったものを一個ずつ包んで、軽く一時間ほど圧しをかけ、粽の形に作ったもの。

◇柏《かしわ》鮨《ずし》

酒と酢と塩とで味をつけた平貝の柱を二分厚ぐらいの小口切りにし、さらに庖丁を入れ、その片《へ》ぎかけた間に鮨飯を入れ、柏の葉で包み、それを数個箱に入れ、圧しを二、三十分間ほどかけて作った鮨。

◇鱒《ます》の巻鮨

鱒を三枚におろし、酢につけ、辛味大根をおろし、それに塩を加え、よく搾ったものの上にその鱒の身を置いて巻き、その上をまた簀《す》で半日ばかりしめて置き、小口切りにして食べる。

十二、稲荷鮨

東京の街の夜「お稲荷さーん」と神秘的な声で呼んで歩いた稲荷鮨屋は、震災とともに影を没してしまった。時代とともに狐が街から姿をかくし、稲荷はそのご神体の抜け殻のような淋しみを感ずる。狐は油揚が好きなところから、それに包んだ鮨を稲荷鮨という。

飯の具には人参、蓮根、糸昆布など少し入れたものもあるけれど、具はないほうが普通である。

包む油揚を「かます」というが、普通の油揚では皮が厚くて、強《こわ》くて、大きさも大きすぎて駄目である。豆から油から吟味して作った稲荷鮨専門の油揚がある。三河島の上総屋、下谷《したや》の川越屋などはその油揚専門の卸問屋である。皮が薄く柔らかいこの油揚は、素人にはちょっと取扱いにくいかもしれない。最初茄《ゆ》でて、あとから汁を充分含ませるが、その汁を浸《し》みわたらせる程度、加減はやはり腕がいる。

素人の家で作る稲荷鮨は、普通の油揚を使ったのもあるが、豆腐屋に特に注文したものもある。しかし専門の「かます」にはとうてい及ばない。それに干瓢の帯で中結びがしてあるが、商売人のは普通これがない。

東京の大抵のしるこ屋、大福屋では、この稲荷鮨と海苔巻とは一緒に売っている。また稲荷と海苔との専門の家も相当あって、日本橋蛎殻《かきがら》町吉増は数十年来有名の老舗である。また本石町《ほんごくちょう》の次郎左衛門鮨も名高い。

稲荷鮨の「かます」は貧乏くさい感じを起させるから、裏返しにして包んだ「おつな鮨」というのが麻布龍土町《りゅうどちょう》にある。稲荷鮨の唯一の変り種でまた旨いので有名である。「おつな」という名前は「粋で乙だ」という意味か、それとも「美人お綱さん」か、そこは聞かぬが花。

「かます」は表がいいか裏がいいかは稲荷鮨党のよく話題になるが、その味は好き好きで、見場はやはり貧乏くさくても、表のほうがいいという人が多い。「おつな鮨」は「かます」を表にしてもその味の評判は落ちはしまい。しかし裏返したところに商売の旨味は加わっている。

この稲荷鮨は名古屋が起りで、天保《てんぽう》少し前に江戸に来て、両国のような田舎者相手の鮨屋でこれを売っていたものである。稲荷鮨とも篠田《しのだ》鮨ともいった。

天保の末期頃には鮨はなかなか高価なものとなって、一つ四文から五、六十匁もした。

その他高価な品を売る者が多勢罰《おおぜい》せられたので、この時行灯《あんどん》に鳥居を書いた安価な稲荷鮨の呼売があらわれた。しかしそんな安物は日中少しも売れないで、夜になるとコッソリ食う者が多かったという。それは江戸っ子気質の見栄坊からである。

十三、五目と散《ちら》し

飯に混ぜる材料を「もく」とか「具《ぐ》」とかいうが、蓮根、人参、干瓢、椎茸、玉子焼、糸昆布、こんにゃくなど主として野菜類の具を、酢で味つけた飯にかき混ぜ、海苔をもんで振りかけ、生姜を細く切って添えるのが普通の家庭で造る五目鮨とか五目飯とかいうものである。そのほか剥身《むきみ》や酢の物などの生臭《なまぐさ》を入れた五目鮨もある。しかし魚のおぼろはあまり使わない。したがって見場があまりよくないので、鮨屋ではこういう五目鮨はほとんど造らない。

東京の商売人はこの五目鮨の具を飯に混ぜないで、必ず丼とか曲物《まげもの》の飯の上に綺麗に並べて「散し鮨」と呼んでいる。そして薄桃色のおぼろを具の間なり、一緒なりに散らしてある。

こんな風に五目鮨と散し鮨とは判然とした区別がついているが、たいがい混同されている。鮨屋で五目をくれといっても小僧はちゃんと心得ていて「はい散し一丁」と奥へ通じてしまう。しかし鮨屋によっては「散し」の具を五種にして「散し五目」と称している所もある。

散《ちら》しの具としては、普通の五目鮨の材料とほぼ同じだけれど、人参、昆布、こんにゃく、剝身などは用いないで、握鮨の材料の鮪《まぐろ》でござれ、烏賊《いか》でござれ、穴子でござれすべて応用している。ただし五目と異なって人参を用いないから、薬味は普通の生姜だと色どりが引立たない。そこで必ず紅生姜を添えて出す。また綺麗なおぼろを使っているから、海苔もふりかけないのが通例である。しかし鮨屋によっては飯の中に海苔を混ぜ込む所があるが、鮨通にいわせると、飯の味が少しくどくなるからいけないという。しかし古風の鮨屋では多くこうしている。

明治の初年頃、大名華族などに納めた「散し」は、丼の一番下に酢の飯を敷き、その上に笹の葉で納め先の紋所《もんどころ》を切り抜いたものを載せ、さらに海苔をもみ込んだ飯を敷き、その上にいろいろの具を綺麗に並べたものであったそうである。具は今日のものと大同小異であるが、見場の綺麗なことは雲泥の差があったということである。

一番下に海苔を混ぜない白飯を敷いたのは、海苔を混ぜた飯ばかりだとやはりくどいから、あとの口直しに白飯が入っているわけである。現代の鮨屋に大いに参考としてもらいたいところである。

散し鮨を悪くいうものは、「あれは鮨屋の廃物利用だ」とか「芥溜《ごみだめ》をかき廻して食うような気がする」とか「丼飯なんてだいたい一杯飯で下品な物さ」などとけなす。

しかし立派な鮨屋では、散しにそんな切れ端など使いはしない。歴としたタネをちゃんとつけている。丼飯だって今は鰻《うなぎ》飯、天丼などと同様、客に出して恥かしくない時代である。それに注文すれば大皿に盛ってもくるから、小皿にとり分けて食べることができる。またたとえ丼でも見場においては、頬張る「握り」よりむしろ上である。したがって「散し」の注文は、大部分女客としたもので、「握り」のような粋《いき》なところはなくても、曲物《まげもの》なぞに小綺麗に入れた「散し」は確かに色っぽさがある。

「散し」は「五目」を変化させたもので、いつ頃から変化したかはちょっと不明である。また五目の起源も詳《つまび》らかでない。しかし守貞謾稿《もりさだまんこう》には、

「散しごもく鮓ともに有レ之起し鮓とも云飯に酢塩を加うる事は勿論《もちろん》にて椎茸木茸《きくらげ》玉子焼紫海苔芽紫蘇蓮根笋蚫海老魚肉は生を酢に漬けたる等みな細かに刻み飯に交へ丼鉢に入れ表に金糸玉子焼などを置きたり」

とあり、これを見ると、書き出しは「散し」と「五目」と別のようだけれど、内容の説明は「五目鮨」である。やはり現代と同様に混同していたもののようである。「散し」の一種の「あられ鮨」は飯に海苔をかけ貝柱をのせ、さらに木茸《きくらげ》を散らしたものである。

十四、箱　鮨

飯を木箱に詰め、上に種々タネを並べ、圧してのち切って食べるもので切鮨ともいう。

ただ単に押すのが目的で、熟《な》らすのは目的としていない。現代の大阪ずしはこれである。嘉永《かえい》六年版の守貞謾稿《もりさだまんこう》には、当時、箱鮨はほとんど廃《すた》れて握鮨となったと出ていて、握鮨より古い歴史を持ったものであるが、東京では現今、大阪ずし屋のほかはこれを作らない。

大阪鮨は、あまり有名であるから略して、他に珍しいものの例を挙げてみよう。

◇温《あたため》鮨

箱鮨の飯を熱くして製したものをいう。熱き飯で鮨を作り、桶または箱に入れて、その上を蒲団で包み、熱からず、冷たからず、その中庸を得たものを賞味し、天明頃から京阪地方で流行した鮨。

◇起《おこ》し鮨（掬《すく》い鮨ともいう）

ちらし鮨を圧し箱に詰め、竹の皮を覆い、蓋をして圧しをかけたもの。取り出して箸で掬《すく》うように起しつつ食べるので、昔大阪堂島辺の相場師が、ちらしの名を忌《い》んで、起し鮨、あるいは掬い鮨と縁起よく言ったのである。

◇柿《こけら》鮨（小倉《おぐら》鮨、千倉《ちくら》鮨、若狭《わかさ》鮨、淀川《よどがわ》鮨などみな同種）

箱に飯を入れ、椎茸、木茸《きくらげ》、三つ葉などをばらまき、その上に薄焼玉子あるいは魚肉を並べ、その上にまた飯を置くといったふうに数層にし、圧してのち切って食べる鮨。

◇大根柿鮨

昔京阪で流行したもの。

大根の香の物を薄く切って酢につけ、柿鮨としたもの。酢章魚《すだこ》の足を薄く切って大根に混ぜても使う。

◇当座《とうざ》鮨

柿《こけら》鮨の魚肉を投げ作りにし、酢を強くきかせて単時間で食べるもの。

◇当座柿鮨

大鮒をおろして骨をとり、塩と酢とで味をつけ、前に鮒《ふな》の子を茹でて味をつけ、酒をきかした飯に前の身と子とを一緒に並べ、六時間ほど圧しをした鮨。

◇桜井鮨

鱧《はも》の漣《さざなみ》（刺身のように切ったもの）を酢につけ、千切りの生姜を加えて飯に漬けたるもの。

◇黄《き》丸《まる》鮨

茹で玉子の黄身を、ばらばらに砕して、鮨飯に混ぜて圧した鮨。

◇兵庫《ひょうご》鮨

鱧《はも》の身を堅摺《かたず》りにしたものに飯を混ぜ、器に詰め、その上に塩茹での章魚《たこ》の足の小口切りにしたもの、および木茸の千切り、青山椒などをのせ、圧しをきかせてのち適宜に切って食べるもの。

十五、熟《な》れ鮨

単に「熟れ鮨」といって広い意味に解釈すると、魚を塩漬けにして、自然に酸味を持たせた昔の「すしな」も「熟れ鮨」であり、また早鮓のように魚と飯とを幾重《いくえ》にも重ねて圧し熟らした鮨も「熟れ鮨」であり、また魚と飯とを圧し熟らして、魚と飯とを合わせ食う鮨も「熟れ鮨」である。

しかし飯は食わず、魚のみ食う前二者の「熟れ鮨」は、すしなの部ですでに説明したから、ここでは魚を飯とともに食う後者の「熟れ鮨」のみを述べることとする。

箱鮨と違う点は、熟らすことにあって、箱鮨は「馴《な》れ鮨」であって「熟れ鮨」ではない。

いま魚と飯とを圧し熟らして食うと書いたが、それにはいろいろ方法があって、五目鮨的に魚や具を混ぜて、圧し熟らしたもの、また箱鮨的に飯の上に魚のおろし身をのせて、圧し熟らし、小口切りにするものなどあるから、それぞれについて説明することとする。

◇鮭《さけ》の鮨

飯に酢と塩とで味をつけ、これへばらばらにした筋子《すじこ》、小切りにした鮭、薄切りの生姜などを混ぜ込んで、圧石《おし》を置いて樽へ漬けこんだ鮨で、北海道の名産である。

これは大村医学博士が詳しいので、その説明を借りると「北海道の人は、これにちょっぴり醤油などをつけて、ご飯のおかずにもするが、酒の肴《さかな》としてなお結構である。筋子は半分白くなり半分生のままになっているので、これをぽつりぽつりと拾いながら酒をのむのはなかなか旨い。漬けた飯だけ食べても旨いし、鮭だけ食べても旨い。しかし一緒に食うのが本当のようである。そぎ身におろして皮のついているその皮がまたなかなか旨い。新潟でもこれはできるが、味が一体に少し甘すぎていけないし、この鮨の一番面倒な飯の加減が、やはり北海道物ほどに行っていない。軟かからず、硬からず、なかなか面倒である。」

◇京都の「鯖鮨《さば》」

鯖のおろし身を五時間から十時間ぐらい塩漬にする。その塩は一年以上も経った古いものがよい。いっぽう上等の古米の磨ぎたてを、米二升に昆布出汁《だし》二升五合ぐらい、氷砂糖少々の割で湯炊《ゆだき》にして幾分硬目にする。それを酢三合、塩二十匁、氷砂糖の煮詰《につめ》六十匁ぐらいで味付けして器に入れ、その上に前の鯖をのせ昆布で巻いて数日圧し熟らし、適当に切って食べる。菓子的な味がするが旨いものである。大阪の松前鮓と違って、この鮨の昆布は食べてよいとのことだが食べにくい。

◇腐《くさ》り鮨

これは紀州地方の秋祭などに家庭的に作る鮨で、鯖、太刀魚《たちうお》などを飯の上にのせ、アセの葉に巻いて桶に詰め込み、圧石《おし》を置いて数時間熟らすと、酸味と甘味とがほどよく調和して旨い鮨となる。

◇はたはた鮨

糯米《もちごめ》を炊いて、鰶《このしろ》に似た雷魚《はたはた》を一寸ぐらいずつに切って、人参、紫蘇の葉、バラの筋子など混ぜ合わせて、二週間ぐらい桶に圧し熟らして飯ごと食べる。秋田地方の名物で正月ごろ各戸で盛んに作る。

◇糟《かす》和《あえ》鮨

饅頭の糟を絞って酒、塩、醬油で味をつけ、布で絞り、その中に酢にした魚を完《まる》のまま入れて、圧し熟らしたもの。

◇黒《くろ》米《ごめ》鮨

鮎の盛りの頃、子持鮎に塩を強くして貯え、十月末頃に一時間ほど水に浸け、洗って塩気が少し残るぐらいにして玄米飯に塩を加えず、熱き中に鮨に漬け込み、翌年二月頃、玄米飯を捨て、塩味をつけた白米飯に、普通の鮨のように十日ほど漬けたもの。

◇鮭子籠《さけこごもり》鮨

子持鮭を塩にして尾頭を切り落し、皮を引き、塩加減した飯に麹《こうじ》を交ぜ、その中に漬け軽く圧したもの。夏は五日間ぐらい、冬は十二、三日で熟れて、美味のものとなる。

十六、特種の鮨

◇蕎麦《そば》鮨

蕎麦を束にして海苔で巻いたもので、ちょうど鉄砲巻の飯と干瓢の代りに蕎麦が入ったものである。蕎麦の汁をつけて食うが、デパートの食堂や神田の兼鮨という鮨屋で売っている。芝神明町にもあるということである。

神田連雀町の藪蕎麦で売っているものは、蕎麦を海苔でなく薄い油揚で巻いた蕎麦ずしである。

◇卯の花鮨

卯の花に味をつけて煮てそれを握り、普通の握りのように上に小鰭《こはだ》や小鰺《こあじ》の酢にしたものを載せて食べるのであるが、薬味として生姜を添えて食う。

またその卯の花を油揚で包んだ稲荷ずしがある。鎌倉の建長寺でも注文するとこれを食べさせてくれるそうである。また箱に圧して当座鮨にもする。

◇雲丹《うに》鮨

「枕草子」に「名おそろしきもの、いにずし、それも名のみならず見るもおそろし」とあるのは雲丹ずしのことだが、どうして作ったものか詳《つまび》らかでない。

◇ほやのつまのい鮨

土佐日記にこのことがあるが、前の雲丹ずしとともに不明。

◇牡丹《ぼたん》の鮨

牡丹の花びらを湯につけると色素が取れて白くなるから、それを二杯酢か三杯酢に漬けて、布で酢を切って、卯の花を握ったものの上に載せて食べるのであるから、一種の卯の花ずしであるが、牡丹の花びらを使うところが面白い。

歯切れがよくて甘味があって、少し臭味があるが最初湯につけてから水に充分晒《さら》せばそれが取れるが、通人はかえってその臭味を喜ぶのであって、凝った宴会や好事家の集まりには渋い乙な食べ物である。

◇蕪《かぶ》の熟《な》れ鮨

これは塩鰤《しおぶり》の肉を適当な大きさに切って、よく塩を抜いて水を切り、いっぽう中ぐらいの蕪を二枚重ねに切って塩をふり、二、三日漬け込んでおき、それの水気を取って中に前の鰤を挟《はさ》んで飯と一緒に漬け込むのであるが、飯には酒を利かせておくと醗酵が良くできる。その上に板昆布を敷き、押蓋と圧石とをのせて一日もすると熟れるから、それを食べるのである。飯は食わぬのが本来であるが食べてもよい。

◇菊の鮨

ご飯と麹《こうじ》に酢と塩とを適当に利かせ、その中に小蕪の薄く切ったものを混ぜ、その上から菊の花の洗って水を切ったものを散らして、蓋と圧石とで漬け込むと、四、五日で菊の花の香りのゆかしい鮨が食べられる。

◇菖蒲《しょうぶ》鮨

鰺をちょっと湯に通して生臭味を取り、菖蒲の葉を上下に敷いて熟らすと、菖蒲の香りが移って、節句の鮨としてはふさわしいものになる。

銀座の「大阪ずし」。東京の真ん中でしかも握鮨を圧倒している。

夏ならば鮎を同様にしても清新この上もない。

◇ゆば鮨

酒と醤油とで味をつけた「ゆば」に酢の飯を敷き、木茸《きくらげ》の千切り、慈姑《くわい》の薄切り、梅酢《うめず》の生姜の千切り、山椒などをバラ撒き、圧し豆腐を大繊《たいせん》に切って、生醤油《きじょうゆ》で煮たものを並べて巻き、竹の皮に包んで圧しをかけたもの。四、五時間で小口切りにして食べる。

◇豆腐鮨

酒と醤油とで味をつけた煎《いり》豆腐を箱に詰め、小鰭、鯯《このしろ》などの酢漬をのせて圧した鮨。

◇乾《から》鮭《ざけ》鮨

乾鮭を水に漬けて軟らかくし、厚さ一分ぐらい、大きさは握鮨のタネぐらいに切り、香の物の長茄子にのせ、圧して作ったもの。長茄子は皮を剝き縦に二つ切りしてザット塩で圧してのち用いる。

◇香の物鮨

香の物をタネにした鮨で、奈良漬、沢庵漬、浅漬、味噌漬などいろいろの漬物を魚の代りに飯の上に並べたものや、香の物を心《しん》にして飯を海苔巻にしたものなどあって、ちょっと乙な鮨である。

しかしこれは新鮮味を尚《たっと》んだ江戸っ子の創製ではなく、関西方面から最近東京に流行してきたものである。

日本橋通二丁目の横丁に「香寿司《こうずし》」という屋号でこれを売っている店がある。本店は名古屋でこれは支店だが、出前専門で入って食べられないのを残念と思う。この店の鮨は握りでなく香の物を上にのせた圧鮨である。

昆布の太巻を環切りにしたものも同時に売っている。

小松謙次郎氏などだいぶ好きだとみえて「漬物そのものがすでに旨くできているのでこれを肴によく酒を飲むし、飯の代りの時は熱い茶でつまむが、下戸《げこ》にも上戸《じょうご》にも実にいい鮨だ」と言っている。

鎌倉建長寺の茶店やその付近で売っている精進鮨は、奈良漬、椎茸、干瓢、海苔、豆腐、三つ葉などをタネにした握鮨であるが、奈良漬の鮨は、やはりこの香の物ずしである。しかしここの奈良漬の白瓜は生干のものを酒粕に漬けたものだから、色がもっと白っぽくて、かえって精進鮨らしくていいと言っている人もある。

鮨は鮪《まぐろ》のトロでなくては食えないもののように言っている波多野承五郎氏は、この精進鮨は女子供の食べもののように言っている。

香の物ずしの一種で新香巻というのがあるが、それは沢庵を細く切って椎茸などを添え、飯の心とした海苔巻である。

沢庵は元来臭みの強いもので、また一種独特の臭いだから、他のものとはちょっと調和しにくいので、江戸っ子にいわせるとせっかくの海苔の香りが台なしで、こんなものは下種《げす》の食べ物だという。

しかし関西には海苔の上物がなかった関係上、海苔の香りを尚《たっと》ばなかったので、大阪人は昔から沢庵を種にした海苔巻を盛んに食べていた。

ところがこの頃では関西趣味の人が増えてきたせいか、大阪鮨が東京に盛んに流行してきた。そのため江戸前の鮨屋でも、この新香巻を売り出した店がチョイチョイあるが、安いのと乙なのとでなかなか売れている。芝居の楽屋などにも弁当代りに相当入るということである。

十七、諸国の鮨

やまめ鮨――北海道落合名産。

鯡《にしん》の鮨――北海道や加賀などの名産。

鮭《さけ》の鮨――北海道、仙台、秋田、新潟などで出来る。「出羽の本間家では例年これをこしらえて、東京の知人などへ送るようであるが、杉の箱へぴしりとはいって、さらにこれをブリキの罐で包み、箱を開けると、鮨の表面に人参の紅葉があったり、いろいろな花の形がついていたりして、まことに立派なものであった」という話である。これは飯ごと食べる一種の熟《な》れ鮨であるが、このほか鮭の腹に飯を入れて、醗酵させた熟れ鮨もある。

鱒《ます》の鮨――北海道、東北地方の名産で、鮭の鮨と同じ。

はたはた鮨――秋田。はたはたは冬から春にかけて、北陸筋から秋田、青森の沿岸で盛んに穫れる。身長七、八寸、銀色を帯びた淡褐の色合。この魚のとれる時は、前ぶれとして必ず晴天の時でも沖鳴りがするので、漁師の女房たちが、はたはた神様が鳴ったからもうはたはたも取れるぞという。字は雷、鰰、雷魚。漢字はないからこの魚、支那にはないとみえる。この魚はかげ干しにして、蠟燭《ろうそく》代りに使った地方もあったそうだから、神話になりそうな話である。

鮎《あゆ》の卯の花鮨――秋田県湯沢名産。鮎の腹に卯の花を詰めたもの。停車場でも売っている。

鰍《かじか》鮨――栃木県鬼怒川《きぬがわ》付近名物。

鮎鮨――東海道山北、山陰線和田山など有名。

鮒《ふな》鮨――岩代《いわしろ》の尾瀬沼、山城の淀、近江の大津、彦根など。
松皮鮨――越中の名物、鰻《うなぎ》の鮨。
あめの魚鮨――近江大津。
雀《すずめ》鮨――大阪、和歌山。小鯛の腹に飯を詰めて、圧し熟らしたもの。ふくらんだ形が雀に似ているのでこの名がある。摂州福島のものは鮒。
鯖《さば》鮨――京都、大阪。
踊《おどり》鮨――同右。
鱸《すずき》鮨――山陰松江。
腐り鮨――紀州地方の家庭料理。
鯛《たい》の巻鮨――同右。
烏賊《いか》の筒《つつ》鮨――土佐。煮た烏賊に具と飯とを入れて切って食べる。茹でた烏賊の場合はタレを塗る。

十八、握り方、盛り方、食べ方

◇握り方
鮨屋の職人が親方から習う握り加減は「箸で摘まんでくずれず、口に入れて散る」というのが憲法であるが、すこぶるむずかしい方法である。

しかし握ってから口に入るまでの時間は、屋台と出前とでは違うし同じ出前でも色々違うのでそこに並大抵でない修業がいるわけである。昔、麻布《あざぶ》更科《さらしな》で、蕎麦を土産に持って帰る距離を尋ねてそれで打方を加減したという有名な話があるが、鮨もこのコツが必要である。

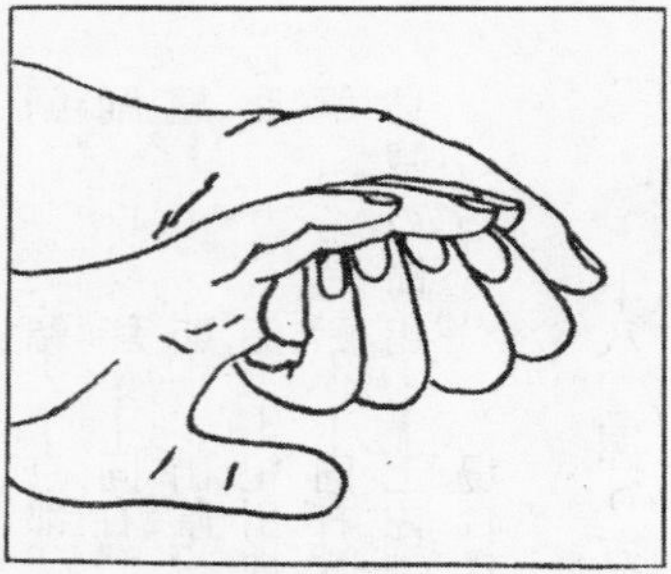

綺麗な握り方

鮨を口に入れた時の飯の散り加減で、その鮨の旨いかまずいかは鋭敏にピンときてしまう。そしてパラッと行かず、グサリときたらそれは鮨でなく「結び」である。

握りの大きさをすべて一様にするところに、これまた一修業いるのである。おはちから左手でつかむ飯が、すべて同じ分量でなくてはならない。煙草専売局の女工が、無意識につかむ巻煙草は、十本か二十本に定まっている。鮨屋もこの馴れが必要である。握りかけて多いからちぎっておはちに投《ほう》り込むようでは、まだまだ駈出《かけだ》しの鮨屋である。鮨屋は客の摘み方で、その人の鮨にたいする味覚の程度が知れるというが、客はまた鮨屋の握る手つきで何年ぐらい商売したかを当てることができる。

中には一つ握ったらお手玉のようにポンと上にほうり揚げ、それが落ちてくる間に次の魚を取って飯をのせ、手早くも一つ握り上げ、落ちてくる鮨をポンと受け、二つ揃えて漬台《つけだい》の上にチョンと置くなんて、曲握りの芸当をやる者がある。また一分間に百握るの、二百握るのと自慢にする鮨屋があるが、それはそれで職人の腕、味覚の上には第二の問題である。

それから煮物を握る時は酢の手でタネを酸《す》くしてしまわないようにしてほしいものである。屋台鮨は別だが、出前鮨で古式に握ったものはタネがキチンと飯に張りついていて、腕のいい職人が握ったものはタネの表面に光沢《つや》があるが、下手の者の握ったのは表面がダレている。

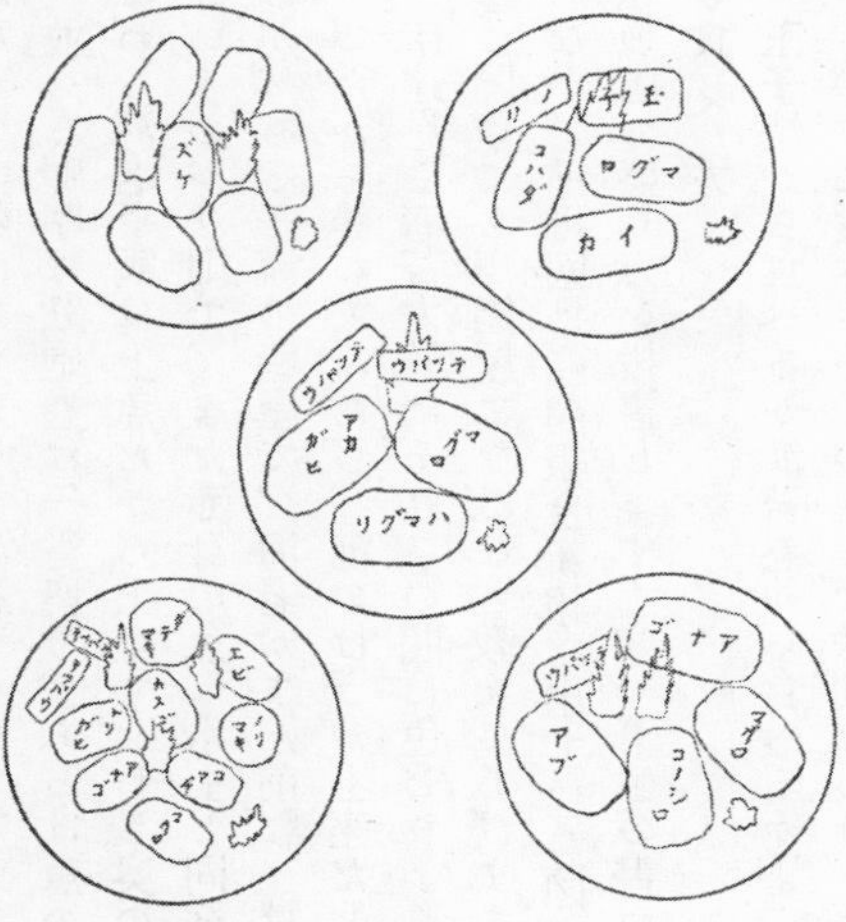

某店の盛り方

◇盛り方

昔はたいてい皿に盛るのに杉形《すぎなり》といって、米俵のように積み上げたものであった。大皿のものはそれを小皿に七五三に取り分けて客にすすめたのである。

今はそんな積み上げることはあまりやらないで、なるたけ平面的に並べている。一人前の皿盛りでも、七五三の法則が土台ではあるが、一つでも安いほうが受けのいい時代であるから、数はまちまちに流れてしまっている。

並べる順序は鉄砲巻は一番奥で、あとは魚の上下によって段々前のほうに並べる。すなわち海老や鯛は上魚だから上座すなわち奥のほうに、小鰭や鮪は下魚だから前のほうというのが法則で、また赤身の魚は水引と同様に右のほうに置くのが普通である。ところが、ある一流の鮨屋で、海老がまん前につけてあったから驚くね、と某鮨通が慨嘆していたから尋ねてみたら、前のほうが上座だと主張していた。

伊達巻《だてまき》や海苔太巻はそれらの間に色どりよく、恰好よく並べればいいものらしい。鮨屋に聞いても「鮨屋になるなら教えてあげますよ」などといって決して知らないとは言わない。前掲図は鮨商組合新報に出ていた図で、「盛り方についてはいろいろあるが、私の店の盛り方を投書します」と一筆生の書いたものである。

◇食べ方

玉子焼から食べるか海苔巻から食べるかよく議論の中心になるが、皿盛りは前のほうから順々に食べてゆくのがまず法則であり、礼儀である。

摘み方はこれまた種々の議論のあるもので一定していない。その一定していないところに、鮨という町人芸術の自由があるといってもよかろう。しかし自由だといっても、他人にいやな感じを起させるような乱暴な食べ方をしなくてもいい。たとえばタネをはがして醤油をベットリつけて、また飯の上にのせて食う人があったり、煮物の穴子や蛤に醤油をつけて食べたりする人がたくさんある。これではせっかく鮨屋が握った苦心もメチャメチャであり、また側で見た目にもいかにもまずそうである。だが何も小笠原流だの何式だのと窮屈なことをいうのではない。お互いが気持よくきれいに食べればいいのである。

それに、握り鮨は醤油をつけないで食べるのが立前であるということぐらいは、知っておいてもらいたい。しかしこの頃のような鮨の作り方では、鮪《まぐろ》、小鰭《こはだ》、赤貝ぐらいは醤油をつけても差支えないとされている。それも飯のところに醤油をつけることは禁物である。海苔巻も醤油をつけてはならぬと力説している人がある。鮨と醤油との関係は、本式の洋食とソースとの関係のようなものである。

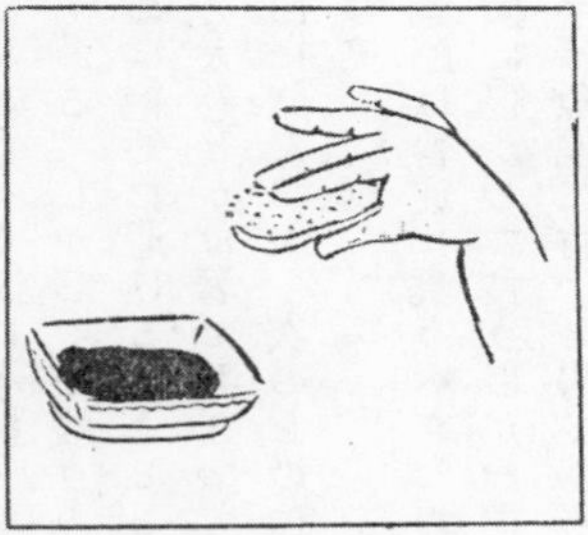

某氏の摘み方

それから鮨はタネを下に裏返しにして食べるべき物だということを、伊藤銀月、永井荷風、岡本一平などの人々が、文に小説に漫画に書いたりなどしたので、今は一般にタネを下にするほうが通《つう》のようになっているが、これには反対党が多くて、鳴戸《なると》鮨の主人は、それはどんなものだかと首をかしげているし、迂外氏は「これこそ理屈きわまる事で、これなどが河東《かとう》節《ふし》を活版本で読む仲間である」と野次っているし、結城礼二郎氏も「そんな手合は味もへちまもわからない野郎だ」というような意味を書かれたことがある。

つかむ時の手つきは、やはりいろいろの説があるから、いちいち述べないでそれぞれ大家の手つきを挿図によって紹介しよう。

なお食べる時は小握りなら一口、大握りなら一口半というのがまず規則のようなものである。しかしその残りの半分にさらに醤油をつける人があるが、食い嚙りをそうするのは絶対に避けるべきことである。出前鮨は箸で食べるべきものだから伊達巻とか海苔の太巻とかは箸でちぎって食べてよいのである。煮詰《につめ》のついたものは、食べたら茶を一口に飲んでから次のものに移るのが味を貴ぶ人々のやることである。

◇笑　話

「鮨は普通に食うべきものとか裏返しにして食うべきものとかいろいろ議論があるが、横に寝かして食うのが一番旨いのだよ」「横というのは始めて聞いた」「だって鮨という字は魚偏に旨いと書くから横に寝かせば魚がわきにいって旨いはずじゃないか」

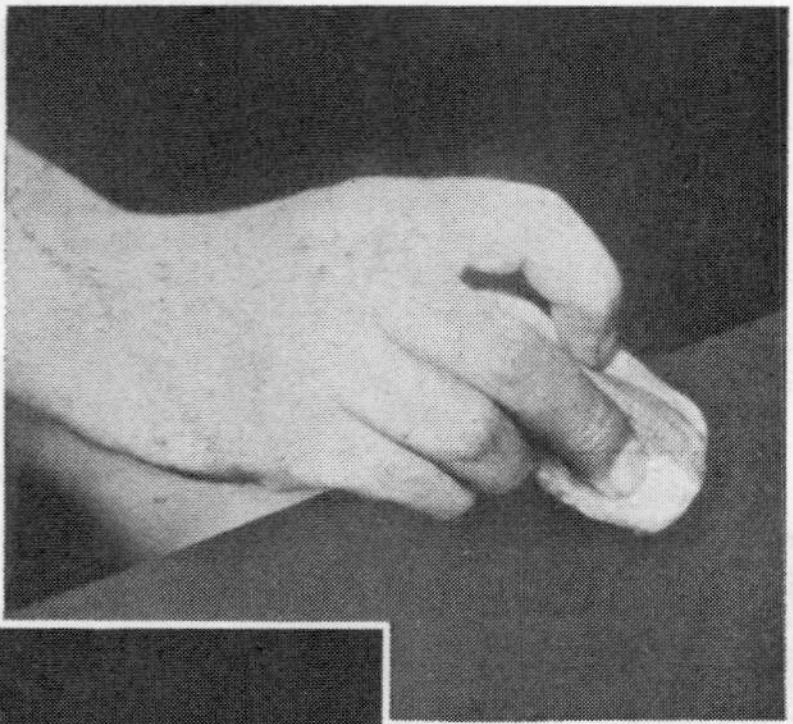

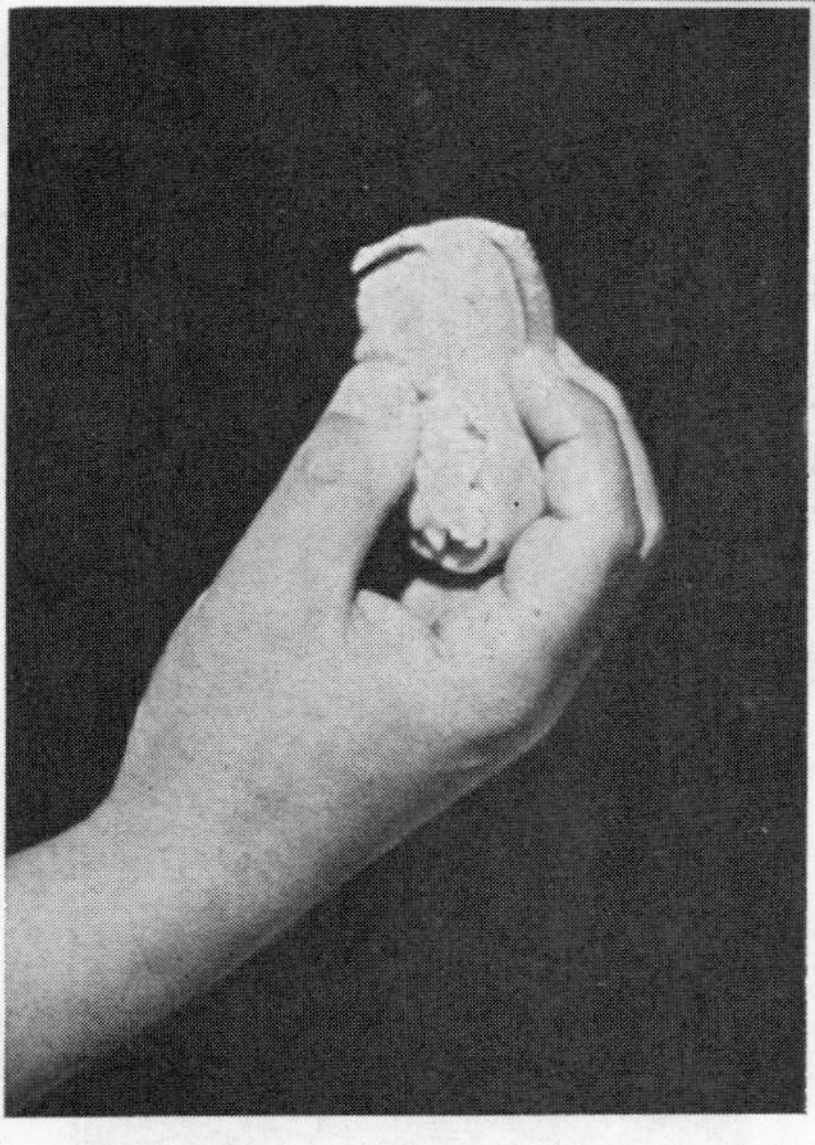

鮨の通人・小泉迂外氏の食べ方。魚を上にして醤油はつけないで食べる。(上)つまみあげたところ(下)手首を返して口に持ってゆくところ

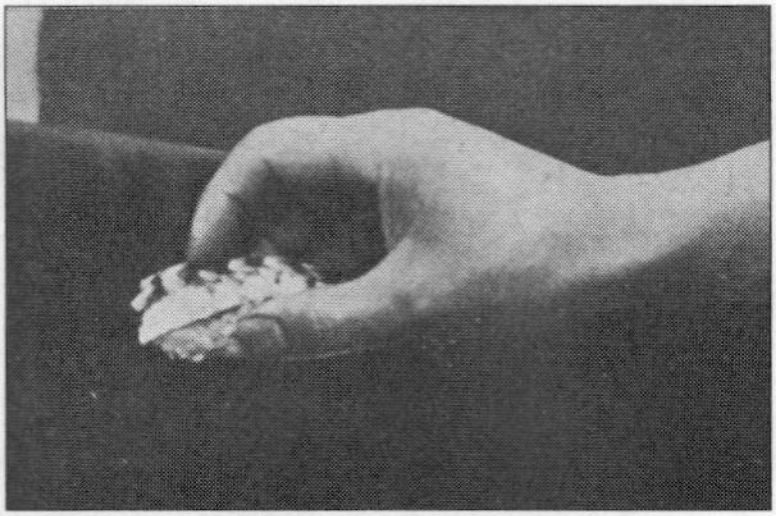

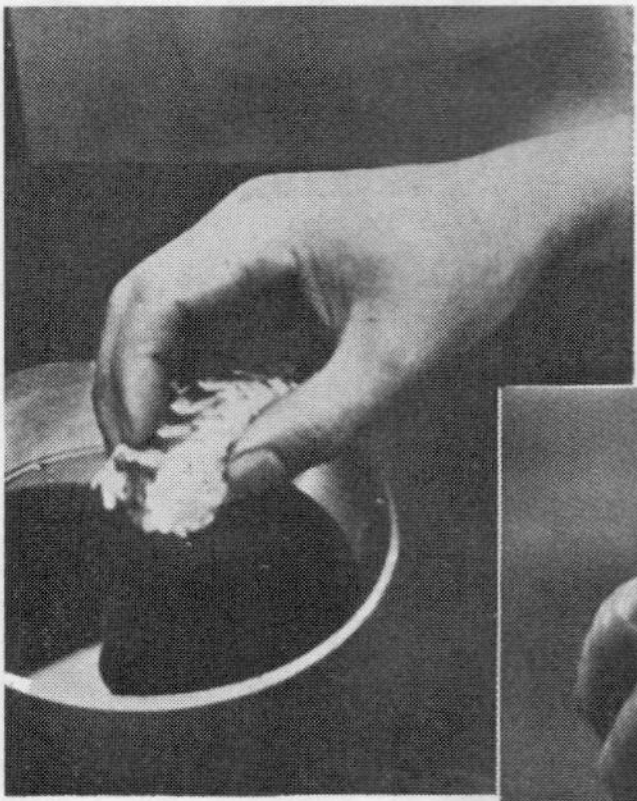

鳴門鮨若主人の食べ方。
飯に醤油をつけて魚は
上にして食べる。

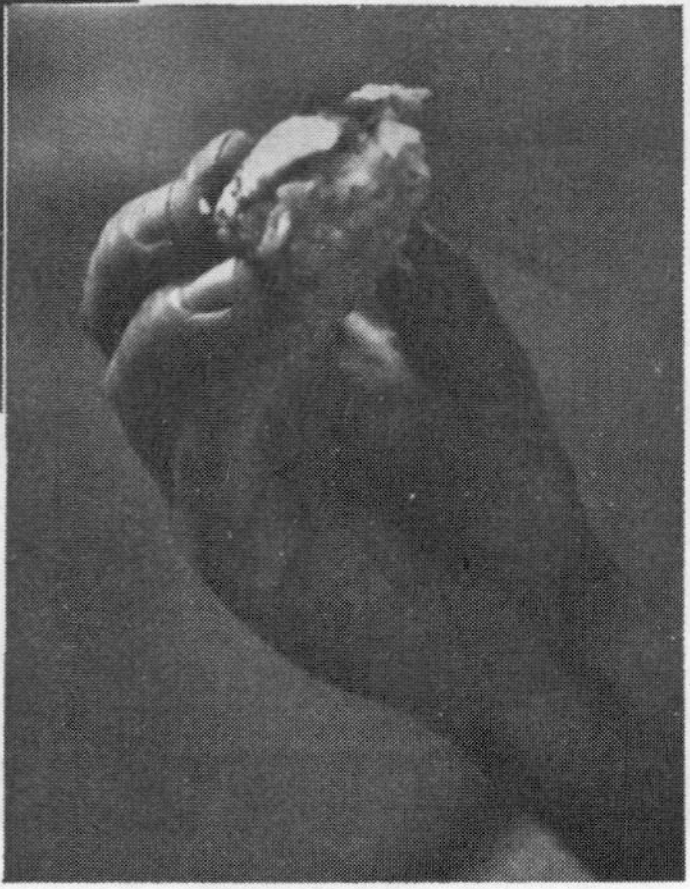

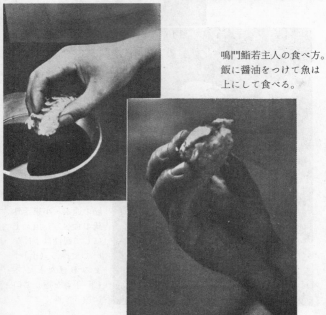

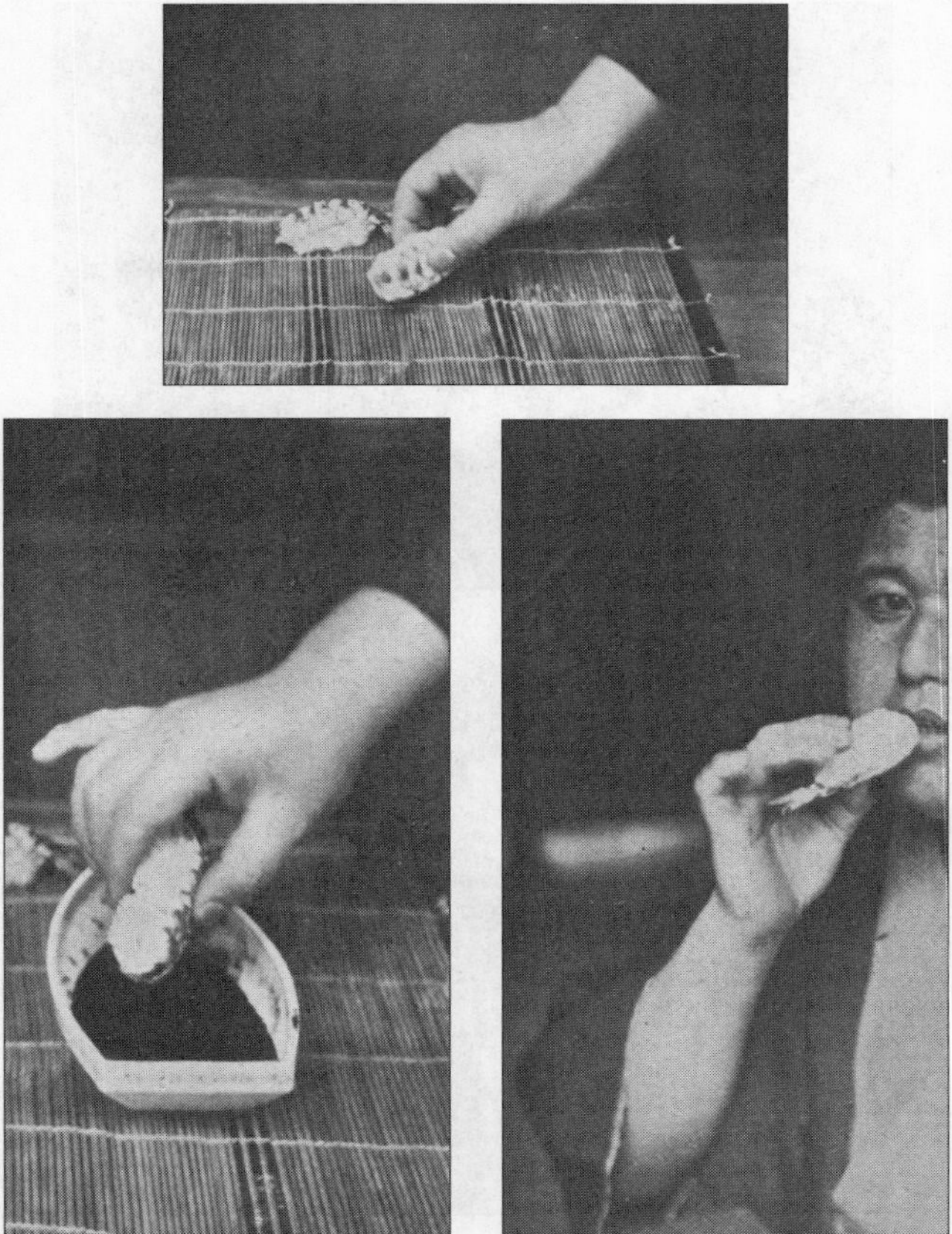

新富鮨主人の食べ方。
醤油をつけて魚を下にして食べる。

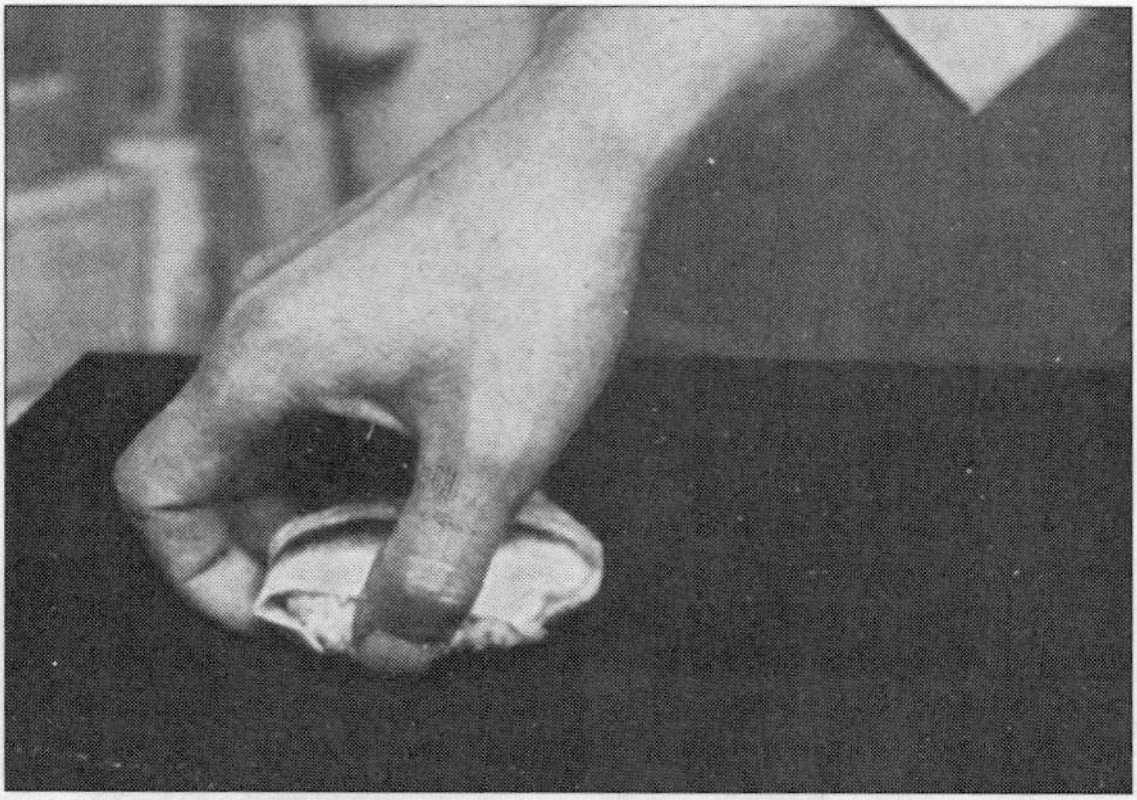

貴族院議員K氏の食べ方。指を上方より回して鮨を裏返してつまみ上げる。よく見受ける食べ方であるが汚いさばきである。

十九、鮨は三食の外

一握りの飯に、一匹の魚や大切《おおぎり》の身をつけるところ、鮨はどう見ても贅沢品であって、三度々々食べるべき主食品ではない。

茶を飲んでいる間に、すぐ握られてポンと置かれるあたり、また携帯に便利にできている点など、確かに鮨は簡易食物である。

またつまんで食べるところなど、茶受けとし、腹つなぎとするに充分ふさわしくできている。

こんなところから、「鮨は三食の外」といわれるのである。ちょうど外国のランチに相当するのである。

そういえば、サンドウイッチと色々の点で似ているのも面白い対照である。サンドウイッチは、外国の主食品であるパンに副食物の主《おも》なる肉類をあしらって、さらに香味料として辛子が添えてあるが、鮨は日本の主食品である飯に副食物の主なる魚貝類を添えて、そのうえ香味料として山葵《わさび》が利かしてある。

さらに薬味として、前者には「パスレー」が添えてあり、後者には生姜がつけてある。

またサンドウイッチには珈琲紅茶を入れ、鮨には緑茶を入れて、ともに飲料が付属している。

またサンドウイッチも手づかみ、鮨も手づかみである。

こんな風にサンドウイッチと鮨とは何から何まで似ているので、この点からしても、「鮨は三食の外」の資格が充分である。

文士の戸川秋骨《とがわしゆうこつ》氏が外国船で、午後の茶の時に、鮨を持って来たとあやしんだらサンドウイッチであって、玉子と見たのはチーズで、鮪《まぐろ》と思ったのはハムで、小鰭《こはだ》と考えたのはサーデンであったと書いているのを読んだことがあるが、こんな風にサンドウイッチの種類によっては、色彩《いろどり》まで鮨に似ているのは益々《ますます》面白いことである。

二十、鮨は三つ四つ

すべて味を尚《たっと》ぶものは、「腹八分」で少量に限るものであるが、ことに「鮨は三食の外」といわれて贅沢品であり、副食品であり、また簡易食物であるから、十も十五も食べて腹を作るのは野暮の骨頂である。

寛政頃の草紙に、「二つ鮨好き」などという言葉があるそうだが二つぐらいは実にいいところである。その頃の鮨は今と違って大きかったから、二つぐらいが通《つう》であったのであろうが、今の小握りでは三つ四つが味覚の極楽である。

いくら手拭をぶら下げた銭湯帰りの立食いでも、二つ三つでは恥かしくて出られないとよく人はいうが、それはまだ通になり切れないからである。味より見栄にとらわれている唐変木《とうへんぼく》である。

鮨は最初の五つぐらいは味がなくて、七つ八つぐらい食べてはじめて味が出てくるなんていう手合は、もう論外である。

昔、両国の屋台鮨で、客が鮨を七つ八つ食べるともう主人が「帰った帰った、そんなに食われては鮨が泣く」と言って客を追い帰したので、皆がヘンクツ鮨と呼んだが、非常に繁昌したそうである。これは鮨屋がお客に鮨を旨く食べさせるために鮨を制限したからである。

だから鮨の立食いで三つ四つが恥しいようでは、まだまだ通には前途遼遠で、それが平気を通り越して得意となるくらいにならなければ駄目である。

こんなことをいうと、現代の儲け主義の鮨屋に文句を言われるかも知れないから、次に味は第二としてたくさん食べた記録《レコード》の話にうつる。

古い話だが、天保二年九月七日、両国橋際の万八楼で開いた天保大食会では、大食漢、実に百六十有二人集って、最初小手調べとして、一同が第一の部屋で高盛の飯十五椀《わん》と汁五杯とを食べて、それから次の食堂に通っていよいよ競争になったが、みな餓鬼のように食べたそうである。そのうち後世まで天晴れ大食家として記録に残っている剛の者は、

一、天麩羅三百四十（ただし四文揚）新庄主殿家来　田村彦三郎

を筆頭として、鰻《うなぎ》七貫匁と飯五人前、また蕎麦《そば》四十二杯などというのがあって、少し変ったものでは梅干六百個とか、鰹節《かつおぶし》五本などというのがある。鮨では、

一、すし二朱（四文ずつ）照降町《てりふりちよう》煙草屋　村田彦八

というのがあるから、飯十五椀、汁五杯を平げた後ですしを三十二食べたわけである。今の中村福助はなかなかの酒豪であるが、また食べるほうも人後に落ちないとみえて、あの姿で、大阪鮨ではあるが鳴戸鮨五十八食べた記録を持っているというから驚かされる。

屋台鮨では鮨屋の握ってくれる鮨を、よく隣の者と代り番こにつまむので、暗々裏に競争になるものであるが、小生の友人が明治天皇ご大葬の折、赤坂見附で夜中の二時頃、隣の学生とこの暗々裏の競争をやって学生が三十五食べた時、初めてもう駄目だ、負けましたといって口を切ったので、友人はもう一つ食べて、実は僕も随分我慢して食べたよといって止めたそうであるが、鮨屋も二十ぐらい食べるお客さんは時々あるが三十以上は始めてですといって感心していたということである。この友人は牛や駱駝《らくだ》と同じような反芻的な胃の所有者で、絶えず口の中でもがもがやっていたが、今でもまだ健在で四国の高松で医者をやっているが、もうこんな馬鹿な元気はないだろう。

二十一、鮨は屋台か出前か

「鮨は屋台に限る」とか、「鮨は立食いでなければ味が出ない」とか一般にいわれている。

しかし山本勝三郎氏はこれに大反対でその著書「劇評と随筆」の中に次のような意味を書いている。「元来江戸っ子というものは、たしなみとらしくということを非常に貴んだから、現代人だって馬子《まご》や土方《どかた》でない限り、何も好んで鮨を立食いしなくてもいいじゃないか。屋台の鮨が旨いなら買ってきて食えばいい。遠ければ買いにやるか招《よ》んで握らせればいい」と大いにブルジョア的な気焔をあげている。しかし鮨は簡易食物であることをご存じないようである。さらに「都会人は林檎《りんご》の木の下で林檎を食ったり、苺《いちご》畑で苺を食ったりするよりか座敷で食うほうが馴れているから、鮨も板場の前で食うより茶舞台《ちゃぶだい》の上で食べたほうが遥かに旨い」と。

われわれ都会に育ったものは、確かにこの主張に大賛成ではあるが、しかし鮨の場合、こうすると二つ三つ食べたいとき困るし、また通人の最も好むパリパリする海苔巻を食べられないしするので残念である。また口に入れると飯の散るあの屋台鮨の旨味も味わえなくて淋しい。

次に小泉迂外氏は、次のようにいって立食い説の誤信を打破している。

「一口に屋台というが区別するとその組織上に二種の差がある。すなわち一は普通の店がありつつ夜になると、残物を捌《さば》くためというわけでもないが、息子なり老人なりが小《こ》使《づかい》とりのために屋台を稼ぐのと、一は薄資《はくし》のために一家を張ることのできぬ輩《やから》が、日没を合図に屋台を曳き出して営業するのとである。前者は鮨種《すしだね》から煮物などすべてが店売と異ならないが、後者となると買出しから一切違って、鮨種のごときも海苔に鮪、赤貝に鳥貝、鯵《あじ》に小鰭《こはだ》ぐらいに少し上等で穴子、蛤《はまぐり》も使うが海老や鯛《たい》の贅《ぜい》はほとんど用いないというくらいで手の省けるだけ略するのである。よく素人が真の鮨通は立食いに限るなどというが甚しい誤信で、実際、屋台出の職人は手腕が粗雑一方に傾いて一人として真に握れる者はないくらいで、屋台を渡世《とせい》で行くには手腕より頭脳の鋭敏なるいわゆる気転上手の者でなければならぬ。」

　これには立食い党一本やられたかたちである。

　しかし最近は京橋の「幸ずし」で立食い場を置いて中は弟子でもそこは主人が握り、また新橋の「新富《しんとみ》ずし」でも立食い場を家の中に設けて、やはり主人自ら握っているので、いずれも立食いではあるが、まず屋台の部ではないから迂外氏の論鋒は避けているし、屋台の長所も取っているのでまず無難の立食い場である。

京橋の「幸寿司」。鮨に使った鯛の血合が日に一貫目も出るというほど繁昌している。また家族連れの客には入りよいというもっぱらの評判、夜は右側の屋台がはやる。

二十二、鮨屋のおやじ

煙草屋は娘、魚屋は若い衆、鮨屋はおやじが看板である。なかでも鮨屋はおやじが看板どころか生命なのである。伊勢は津でもつ、津は伊勢でもつ、尾張名古屋は城でもつという言い古された俗謡があるが、もう一つ「鮨屋はおやじ」の一句をつけ加えたいとさえ思う。

名のある鮨屋のおやじの多くは「いっこく者」である。いっこくを売物にしているのではないかと思うくらいにいっこくである。だから鮨の食べ歩きを始めようとする人にとっては「お前の口には勿体《もったい》ないが食わしてやる」といった面構《つらがまえ》を忍ぶだけの、あるいは味わうだけの忍耐が必要である。たまたま飯を醤油丼の中に落して「握りがやわらかいな」とでもささやいてみよ。たちまち「むすびじゃござんせんぜ」と逆ねじを食うことうけあい。「サビがきかないね」といえば「生意気にとろなど食うからさ」とこっぴどくやられる。何を言っても昨日今日の駈出《かけだ》しの客には歯が立たないほどいっこくで、頑固者が多い。

そして一徹ぐらいなおやじでなければ美味い鮨は握れないものらしい。

金を払って、叱られて、それでも帰りには「ご馳走さま」の一言ぐらい言いたくなるほど美味い店も東京中にはたくさんある。

新橋の「新富鮨」。立派な紳士がここの親父にはよく文句を言われている。それでも客が何度でも行くほどここの鮨の味には魅力がある。

ぜいろくに言わせると、金を払ってご馳走さまもないものだというが、江戸前の鮨屋と江戸っ子の客には金銭以外に意気の取引があるのである。ぜいろくにはそれが解《わか》らない。判《わか》らないのがぜいろくのぜいろくたる所以《ゆえん》である。

意気の取引！　そこにおやじのいっこくが生れ、客の「ご馳走さま」が自然と湧いてくるのである。しかししたがってそこに味も湧いてくるわけである。

おやじの心意気はつけ台の上に、たえずピチピチと動いている。たとえば握ってつけ台の上に置く鮨が三つも四つも並んでしまったらもういけない。

「お前の口には俺んちの鮨はわかるめえ」という顔色がはっきりと浮んでくる。おやじが握ってぽんと置くと、客はちょっとつまんでぽんと口へほうり込む。ぽんと置く、またぽんと口へ。この気合が客にとって大切なのである。そしてこれは反対に、間抜けなおやじには逆にこっちから注文してもいいことである。

とにかく、主人の気性と客の気性が一脈相通ずるところがなければならないのは、他の食通と板前の腕とのピッタリ合ったところをとるのと全く同様である。酒井眞人君のように、威勢の良いおやじの握った鮨を食うと喧嘩がしたくなるというのもちょっと困るが、しかし面白い話であって、こうなると鮨屋もさぞ食べさせがいのあることだろう。「おやじ」と書いてきたが、このおやじは年齢からいうと四十前後の男盛りに限るとは誰もの意見であって、血気に早る若者でも駄目だし、皺くちゃな爺さんでもいけない。

この頃のように頭にチックをつけたり、東京行進曲を歌いながら若者が握る鮨は気合が抜けている。もっとも鮪デーなどと大きな旗をかざして繁昌する時節だから、これもある程度は諦めるよりほかは仕方があるまい。年とったおやじはまた指を海水浴あがりのようにしわくちゃにして握っているのだから、これまたぞっくりせざるを得ない。そのうえ印材指輪を嵌《は》めて握るおやじがあるので、気障《きざ》と不潔とでもうまっ平《ぴら》である。

はじめて上京した知人を立食いに連れ歩いた時、握る職人の爪垢を見て、江戸っ子はあれでいいのかと言われて赤面したことがある。浅草の屋台で手の綺麗なのを自慢にしていたおやじがあったが、帰りに埃《ほこり》と脂《あぶら》とでねちねちしたのれんで頭を撫でられたこともあった。いくら手だけ綺麗でもこれでは閉口である。

要するに、料理屋が板場を家の入口に置いて、その清潔さを自慢にすると同様に、鮨屋のおやじも清潔を保つことを、手に、台に、その他万端に遺漏なく留意してほしい。特に屋台などは、心がけ一つで直ちに不快は一掃される条件の上にある。こうして江戸前を「立前《たてまえ》」とする鮨の誇りをどこまでも傷つけたくないものである。

おやじが女だったら？　女が握ったのではこれは絶体に悪い。なぜなら女には、気合というものが全く欠けているからである。古来女が握って売れた鮨屋などは一軒もない。女が握ったという話で思い出すのは「おまんの鮨」である。延暦のころ京橋にあって非常に流行したと伝えられているのだが、あれもおまんという女がいたのではなく、当時「京橋中橋おまんの紅よ」という俗謡があって、それからきた屋号を女主人の店というふうに取り違えてしまったのである。まちがいはまちがいを生んで、おまんさんが美人だったから流行《はや》ったなどという人もあるが、知ったかぶりも甚だしいもので、おまんばかりでなく、女が握ったという文献は全く見当らない。事実、鮨屋は煙草屋でもカフェーでもない。いかに歌麿描くの美人でも、ボッブの美人でも、気合がかからない女性という人間は、つけ台の奥へは決して坐らせることができない。これはむしろ当然の話である。

二十三、鮨の鯖《さば》を読む事

鯖はどこでも豊富に獲れて、しかも鯖の生腐敗《いきぐされ》というくらい腐敗の早いものであるから、この売買にはいつも数はいい加減のものである。誰も数を下目にいい加減にするものはなく、得するように数えるものである。だから数をごまかして得することを鯖を読むというが、屋台で鮨を立食いする時に、この鯖を読む人がたくさんある。ことに学生や労働者には、どこそこの店で昨夜一つごまかしてやったの、二つ余計に食べたのといって、得意になっている不良もある。

しかしこんな連中はごまかすことに興味があって、安く食べることが第一だから、味などは第二である。だから鮨屋のほうでも、ちゃんと心得ていて、少し混んでいたり、たくさん食べる人相の悪い奴には、黙って種《たね》を一段落《おと》して、まずいところや、いたんだところや、前の日の残りものなどをつけているから、鮨屋は客の言いなり放題の数で勘定しても、決して損はしていない。数をとやこや言って、客と言いあうような鮨屋は商売下手なまだ駈出《かけだ》し者である。

鮨の食べ数は、鮨屋がちゃんと飯粒をお鉢か台につけて印しているということをよく聞くが、こんなことをしている鮨屋は恐らく一軒もない。ただ話にすぎないのである。第一芸当ではあるまいし、鮨を握りながら飯粒を一つ一つつけるような真似は、なかなか容易のことでない。

それに屋台に並びきる客は、大抵多くて三人か四人である。だから馴れた職人は、だれがいくつ食べたかくらいは、ちゃんと覚えているものである。

また覚えていなくても、鯖を読む人は十人に一人であると鮨屋は言っている。それも十食べて八つとか九つとかいうくらいが関の山で、三つを二つにはできないものである。物の値段というものは一般にそうであるが、ことに玉突のゲーム代や、料理屋の勘定には掛倒れがちゃんと見越してあるように、鮨の値段だって多少の鯖読みぐらいは計算に入れてある。

そうすると鯖を読まなければ損だということになるが、行きつけの店では、人情として鯖を読むことはしにくいものだから、鮨屋も定連には種のいいところをつけてうまく食べさせるようにつとめて、その埋め合せをちゃんとしている。

だから鮨をうまく食べるには、やっぱり行きつけの店が必要である。

二十四、鮨と酒

鮨はどうしても下戸の食べ物で、酒飲みには向かないものだという人がある。しかしこういう人は鮨を一人前も二人前も食べて、鮨を三度の食事代りにする人である。鮨は確かに酒飲みにも向く食べ物であるということは、名のある鮨屋に入ってみると、鮨で酒を飲んでいる人がたくさんあるから何よりの証拠である。

実際うまいと評判のある東京の鮨は、みな酒飲みに適した味を持っているものである。したがって客も酒を要求し、鮨屋も酒の飲めるように用意もしてあるし、また鮨の味も肴になるように注意して作ってある。

だから女性的な甘味のある関西の鮨は別であるが、東京の鮨で酒の肴《さかな》になる鮨でなければほんとの鮨でないと主張する人に讃意を表する。しかしこれは酒の肴に鮨が何よりであるという意味ではなくて、酒の飲めないような鮨は駄目であるという意味である。それに酒でないただの時でも「鮨は三つ四つ」というくらいであるから、酒の肴にはせいぜい二つである。それを一人前も食べればどんな旨い鮨でも、酒に合わなくなるのは当然である。ところがまずい鮨だと一つ二つ食べても、もう酒は進まなくなるから妙である。

鮨で酒を飲んでいる人で、よく上のタネだけをはがして肴にし、山葵《わさび》のこびりついた握り飯の残骸を前に置いて、酒を飲んでいる人があるが、見られた恰好ではないし、これでは鮨屋も泣いてしまう。

鮨を一人前ぐらい取って、一つ二つ肴にして酒を飲み、残りを腹つなぎにして帰って行くのが普通であるが、通人でよく鮨屋で鮪《まぐろ》の刺身、小鰭《こはだ》の酢の物、赤貝の山葵醤油など作ってもらって、酒を飲んでいる人がある。そしてその間に鮨を二つぐらい握ってもらって、それも肴にして酒を進めている。それから酒も終るとまた二つぐらい摘んで茶にして帰って行くという調子の人もある。

こういう連中は、鮨が大好きであるのも一つの理由であるが、こういう刺身、酢の物、赤貝などが小料理屋より鮨屋のほうが吟味したものを仕入れてあるからだと言っている。

さらに凝った人になると鮪を海苔で巻いてもらって、山葵《わさび》醤油で食べたり、山葵と海苔とを醤油に溶き混ぜた「にしき木」を肴にしたりして悦に入っている。また小鰭、鰺、穴子などもやはり海苔に巻いて、酒の「つまみもの」にしているが、穴子の海苔巻だけはちょっと感心しにくい。

二十五、「鮨は玉子焼から」の論

◇玉子焼党の主張

古くから「鮨は玉子焼から食べるものだ」とか、鮨通はそうするものだとか聞いている。で食通にいわせると、「玉子焼から食べると、そこの飯のよしあしや酢加減が一番よくわかる」と。そして「おでんは豆腐から食べるとそこのおでんの良否がすぐわかるがそれと同じさ」という。また鮨屋も「まあ、玉子焼から食べれば無難でしょう、昔からそういうことを言いますから。辛いものは酢のごまかしがきくが、甘いものだとそういきませんからね」と客の気のあるほうに話を進めてお茶を濁している。

また食味通の波多野承五郎氏もやっぱり玉子焼党で、玉子焼を第一に食べるべきことを主張している。しかし波多野氏のは同じ玉子焼党でも、その食い出す理由が酢加減がわかるとか、鮨の味が吟味できるとかいうのではなくて、玉子焼は鮨屋が一番力を入れているからそれを食べればその鮨の程度が知れるという意味である。で同氏の著書「古溪随筆」の中に、次のように書いてある。「鮨屋に聞くと一番最初に玉子焼を食う人は鮨通だと認める。何となれば、食味的に最も多く鮨屋によって力を尽されてあるのだからまずもってこれを味わい、鮨屋の技倆を試験すべきはずだからという。」

そういえば事実、玉子焼を秘伝としている家がちょいちょいある。与兵衛などでも玉子焼は他の混ぜものなく、ただ玉子、味淋、砂糖、塩だけであれだけふっくらさせるもので、主人でなければ焼けないのだということを聞いている。

しかし一流の家でも多くは蒲鉾《かまぼこ》にする上身を河岸《かし》から買ってきて、玉子に混ぜ込んで焼くのである。こうすると安上がりでしかも味は良くなるけれど、玉子焼としては値打はうすくなる。中には浮粉を混ぜるところがあるが、もう問題外である。

◇海苔巻党の主張

こう書きたててくると、もう玉子焼から食うべきもののようにきまってしまうが、実はこの玉子焼論にはなかなか反対論者が多くて、文士の小島政次郎氏などはかつて中央公論に、海苔巻から食べるほうが通《つう》だと反対の烽《のろし》をあげたことがあった。そして海苔巻を食べればその鮨の旨いまずいがすぐわかるといっている。事実、海苔は淡白なものだから、酢加減、飯の味は他のものより一番よくわかるはずである。

また方々の鮨屋に尋ねてみると、「鮨を食べ尽した人は、やっぱり味の淡白な海苔か、飽きのこない小鰭《こはだ》に帰るものだから、まず第一に海苔あたりに手の出るのがほんとうでしょう」などという。これはちょうど蕎麦通《そばつう》が、天ぷらや南ばんはいやで、盛りとかザルに限ると主張しているのと同じである。

また中には「皿に盛って客に出した時、ソット見ているが、海苔から食べてくれるとホットしますよ」と天晴れ名板場のようなことをいう者もある。さらに「せっかくの海苔をベトベトにしてしまって、歯で食い切っているのを見ると、もうがっかりしてしまいます」と慨嘆している者もある。海苔は香気が第一で、口に入れてパリパリとくるところが身上なのであるから、湿らせてしまって香気も失せベットリさせてしまっては鮨屋の泣くのも無理はない。

◇鮨は酢の物から

鮨を玉子焼から食うのはちょうど会席料理でキントンから食いはじめるようなもので、次に食うものの味は台なしである。キントンは折詰にして土産物にするのが本来の目的であるように、玉子焼も女、子供に食べさすべきものではなかろうか。

そうすると玉子焼党は「味わうより鮨屋の腕を見るためだ」という。ところが現今の屋台では、どこの店も玉子焼なんてつけたりだから、そんなもので鮨屋の腕がわかろうはずがない。そして玉子焼に力を入れているのは与兵衛、鳴戸《なると》、鳴門《なると》のような老舗ぐらいのものである。だから今さらそこの主人の腕を見ようなどというのは、あまり鮨を食ったことのない田舎出の客である。こういえば失敬かもしれないが、そんな人々にはとうていい玉子焼の味はわかろうはずがない。

第一、物を試そうなんて客は、半可通か駈出《かけだ》し者で、ほんとうの通人は試すということより、いかにして旨く食うべきかということを心がけているものである。

だからこの玉子焼からの説は、鮨屋が玉子の厚焼などに力を入れた昔のことであって、現代のような鮪《まぐろ》全盛の鮨には少しピントの外れた議論である。

では海苔巻をまっ先に食べはじめるのは、味覚本意で行くのだから通だろうということになるが、悲しいかな出前の鮨で海苔のパリパリするようなものはあろうはずがない。それに出前の鮨では盛るのにこの海苔巻は化粧笹《けしようざさ》の後で、一番後につけるから、それを摘《つ》まみ出すのはあまり行儀のよい図でもない。そうすると屋台ならばとなるが、それならば海苔は多少パリパリとするが、屋台鮨ではなんといっても焼貯めの海苔であるから、大切な香りは失せてしまっている。したがってまっ先に食べる必要はない。そして「最初に食べないと鼻の鋭敏さがなくなって懐かしい磯の香りがわからなくなってしまう」などという心配はいらない。

だからこういう淡白なものは、鮪や穴子のような濃厚な味のものを食べてから最後に口直しに食べるのが至当である。

鮨を食べ尽すと海苔か小鰭に帰るといわれるのは事実だから、そうするとまず第一に、小鰭か赤貝のような酢のものに手を出すのが順である。そうすれば酢のきき加減、つけ加減、飯の良否も一番よく解る。

また鮨は一個のまとまった立派な日本料理であるから、会席料理を簡易化したものと同様である。しかし鮨はもっと自由なものであるとはいえ、その食べ方はやはり会席料理の骨子に従っていくのが味覚の上でも一番いいことにちがいない。会席のほうで汁から膾《なます》あたりに箸を運ぶのと同様に、鮨ではまず茶を飲んでそれから小鰭あたりの酢の物に手をすすめるのがまず道である。

だからあえて「鮨は酢の物から」と言っておく。ただしこれは味覚上からの問題で、礼儀からいったら皿の一番前のものから食べ始めるべきものである。

二十六、酢

元来生食を多くするものは酢を一番使うとされている通り、日本人は最も酢を多く使って次が西洋人、それから支那人である。したがって生ものを盛んに用いる鮨では、酢の役目はなかなか大きいものである。

いかに吟味した魚に武州越ケ谷の一等米を持っていっても、酢加減が悪くては鮨は台なしである。

タネと飯と酢加減とは鮨の三拍子であって、必ず揃わなければ食べられたものでない。ことに酢の味は飯にぴったり合って、さらに鮪《まぐろ》のような生ものにも、穴子のような煮物にも、また玉子焼のような甘い物にも、海苔のような風味を尚《たっと》ぶ物にも、すべて調和しなければならないのであるから、鮨屋の酢加減の苦労は並大抵ではない。

この総括的役目を持つ酢の味は、まず第一に酢そのものが良くなくてはならない。いま鮨屋で一番多く用いられる上等清酢は、次の二種類である。

三ツ判印、三ツカン山吹《やまぶき》

〇勘印、本金生《ほんきんしょう》

◇三ツ判と〇勘

三ツ判の山吹は、海軍士官の腕の金筋のような商標で、樽の背中に三個丸判が押してあり、〇勘は〇の中に勘の字の花押《かおう》を入れた商標で、よく鮨屋の店先にそれらの樽が自慢にかざってあるが、ケチな鮨屋では中味は別の酢を入れてごまかしている。

両者とも相場は同じで、たいてい一樽十六、七円であるから、値段の上で甲乙つけにくいが、今は三ツ判の山吹を使っている店のほうが遥かに多い。

われわれは家庭の安い酢を見つけているから、酢というと色は酒と同じで、ちょっと区別がつけにくいと思っているが、この山吹はもっと狐色で、酒と見まちがうようなことは決してない。

そしていわゆるコクがあって、味があって、甘味があるが、飯に色のつくのはまぬがれない。せっかくまっ白にしてある上等米に、酢の色を付けてしまうのはいかにも残念であるから、山吹は面白くないと言っている人がたくさんある。しかし今は山吹全盛であるから、飯に色が付いてないとかえって歓迎されない時代である。

だからずるい鮨屋では、酒のような黄色い酢に醤油を入れて飯に色を付けるから、ちょっと山吹かと見まちがえるが、食べると舌ざわりがきつくて、味も香りもあったものでない。

しかしこの酢も近年急にコクがなく、風味もなくなってきて酸味が強いので、醋酸《さくさん》を混ぜるのだという評判だが、醸造元では「決してそんなことはない。昔は木の桶で造ったが、時代に応じて今日はコンクリートの溜めで造るからだ」と弁解している。

〇勘の本金生は味も山吹に劣らないし、香味は一段上である。そして飯に色の付きの少ないのが、鮨らしくていいと喜ばれている。したがって太巻の切口を見せるような古風な鮨には、多く〇勘が使われている。

昔一時、〇勘全盛時代があって、上等鮨はこれでなければならないようにされていたものである。事実これで作った鮨は、香りがすがすがしく甘味がふんわりくるからたまらない。

しかしこれも近頃は酢味が上っぱしりして、香りが多少鼻をつくので、山吹同様醋酸を入れるのではないかと評判も立っているが、事実はそうでもあるまい。

◇酢加減

酢の辛口はごまかしがきいて、甘口にはごまかしがきかないからというので、与兵衛鮨あたりは、米二升に酢一合で塩を使わない甘口で意張《いば》ってきたのであるが、古風の鮨には甘口でなければ調和しないのである。

辛口はちょっと口あたりがいいが、ごまかしがきいて酢本来の風味を損うといわれるが、鮪、赤貝全盛で、しかも濃厚な味覚を尚《たっと》ぶようになってきた現代人にはやっぱり辛口が尚ばれるので、新富鮨では米二升に、塩一合半、酢三合の割である。美佐古鮨では米二升に塩一合、酢三合ぐらいである。甘口のほうでは与兵衛が米二升に塩一合、酢一合とかいわれている。毛抜鮓では米二升に塩、盃《さかずき》に三杯、酢二合五勺も入れてあるそうだから酢味が強くなっている。

こんなふうに鮨によって、また酢によって、米によっていろいろ混ぜる量は違うが、大略米一升に酢一合、塩少量である。塩は一般に冬少なく、夏多くきかすように加減している。

塩は行徳《ぎようとく》塩が一等で、しかも上等の鮨屋では、擂鉢《すりばち》で擂って篩《ふるい》で漉《こ》して使っているから、案外の所に苦心しているものである。

昔は○勘に砂糖を用いたら恥とされていたそうであるが、今はほとんど砂糖や味淋を少しくらいは混ぜている。中には、近ごろ味の素を使っている所などもあるが邪道である。

飯に酢を切るのは、飯を釜から移して手早くしないと、飯に粘りが出て光沢がなくな

牛込神楽坂の屋台鮨「都」。人通りが多くても元気の書生さんたちは色気より食気といった形でいつも大繁昌。

るとされているが、ある鮨屋ではかえって飯が冷えてから酢を切るのを秘伝としているから面白い。

酢が利いたかどうかを見るには、飯に熱湯を注いでザット洗い、つまんで見て、それで酢の香りが残るようでなければ駄目だということである。

◇酢の製法

新宿のある屋台店で、学生と鮨屋の若衆とが盛んに鮨の話をしていたが、そのうちに「山吹」がどうの「〇勘」がどうのと酢の話になったが、若衆が「いったい酢は何から作るんですかねー」と学生に尋ねたら学生が「酢は醋酸《さくさん》さ」とすましていたから、もう少しで噴き出してしまうところだった。

友人にその話をしたら、やっぱり酢の原料を知らない人がたくさんあって驚いてしまった。学生あがりの人は、化学の答案のように、みな醋酸だろうというから面白い。しかし鮨を食べて酢がどうのこうのというからには、その製法の大略ぐらいは心得ておくのも無駄ではあるまい。

酢といっても種類がいろいろあって酒粕《さけのかす》、腐敗酒、醋酸、葡萄酒《ぶどうしゅ》などから作られるが、鮨に用いる良質の酢は酒粕から作ったものである。

清　酢（食　酢）――これは酒粕から作るものと、腐敗酒から作るものとの二種がある。酒粕から作るものはその良質のものを、桶につめて固く蓋をし、それに目張をして、半年から一年ぐらい貯蔵すると、酒精《アルコール》醗酵や糖化作用を起して酒精分が増し、芳香が加わってくるから、これに清水を加えてよくかきまぜ、四、五日放置しておいて、今度はこれを漉《こ》し、その液を少し煮沸して仕込桶に入れ、種酢を加えて半年ぐらい貯蔵すると、液が透明になって滓《かす》が沈澱するから、その上澄を取ったものが清酢である。

腐敗酒から作るものは、これに温湯を加えてさらに同量の種酢を入れ、酒粕から作る場合と同様にする。

人造酢（混成酢）――木材を乾溜して作った醋酸に水を加え、さらに砂糖、麹《こうじ》、エチルエステル、味の素、飴などを入れて作るが、酢味が強いから水を割って使用する。しかし味は清酢に数段及ばなくて、いやに酢っぱいが値段が安いから、田舎や場末の鮨屋には時々用いられている。相当の家でも清酢に混ぜて用いているということである。

理化学研究所で売出している衛生酢というのは、ビール製造のとき捨てる酵母の滓を、原料として造るのである。

ビネガー（西洋酢）――これは鮨には用いないから余談になるが、ついでだから述べると、葡萄酒を原料として作ったものが最上で、林檎酒、ビールなどからも作られる。製法は日本の酢と大差ない。

二十七、飯

商売人は飯のことを「シャリ」といって、「握り」の小さいことを「シャリサイ」などというが、素人が通《つう》ぶって「シャリ」などというと、全く気障《きざ》で聞いていられぬことがある。しかし鮨屋にどこそこの「シャリ」の味は近頃どうですかなどと聞かれて、

「シャリ」の意味が解らないようではこれまた心細い。

元来死骸を火葬にして残った白骨を、仏教のほうで舎利というので、白い小さいものをかく「シャリ」と呼ぶのである。それで米粒の異名となったわけであるが、津軽地方から出る一種の白い石もまた舎利といっている。

昔「すしの無駄食い腹にはもたぬ」という「いろは」歌留多《がるた》があったそうであるが、全く鮨の飯は強《こわ》いけれども食べて腹になんともこたえないところが身上である。

鮨の味はまず飯から出さなければならない。米、水、磨ぎ方、炊き方、冷まし方、酢加減などいろいろ関係してくるが、まず米の良質なことが何よりも第一である。そして「サカナ四分に飯六分」ともいわれ、また、も少し極端に「サカナ三分に飯七分」とまでいわれるが、要するにタネより飯に重きをおくことは、一流鮨屋の考えているところである。

ところが今は味など第二の問題で、安くて大きいことが何より第一に喜ばれている時代であるから、飯の味など六分はおろか三分である。だから二流三流の家になると、二等米や三等米を平気で使って握りを大きくし、それにバチガイの鮪《まぐろ》を少し大切りにして、「鮪デー」などと称すると繁昌する世の中であるから困ったものである。

鮨は冷たいものとされているが、飯は酢を切ってから約一時間ぐらいした中冷《ちゆうざめ》の時が一番味のいいものである。冬の夜更けに屋台店で食う鮨の冷飯は少し閉口する。また浅草ではよく熱い握りを食べさせられることがあるが、これもまた酢の味が強すぎてやり切れない。築地に湯で飯の温味をいつも一定にしている鮨屋があるということを聞いたので、探したがついに見当らなかった。

すべて物の内容はだいたい外観から察せられるものだが、鮨の飯も小粒で割れがなく、粒が揃っていて、そして艶があれば、たいがい上等な鮨米である。こういう飯は食べて噛みしめると、確かに甘味が走って、何ともいえないいい味がする。

普通の飯は、単に味がよければそれで充分であるが、鮨の飯は味がよい上に、さらに酢で味をつけるのだから、飯が軟らかくてしまりがないと、酢を切った時にクチャクチャになってしまうから、硬質米が良いのである。したがって同じ上等の鮨米の中でも、軟質の新米より硬質の古米のほうが酢のキキもよく、サラッと上って艶が出るので尚《たっと》ばれている。しかし柔らかさを加減するために新旧両米をほどよく混ぜた鮨米もある。

炊くには心《しん》のない限り強く炊くもので「鬼の牙《きば》のように炊け」とさえいわれる。これは色が白くて、強いのを尚《たっと》ぶからであるが、米はできるだけ精白にして艶を出し、滑らかにしたものが良いのである。しかし太巻で切口を見せる古風の鮨ならば、飯のまっ白いことも必要な条件の一つであるが、「山吹」のような色のつく酢が歓迎される現今では、飯の白いということはそれほど大切な問題ではない。

今ではたいがいの鮨屋が飯はガスや電気で炊くのだから、昔から見れば味が何割か下ったことは争えない事実である。

川柳に、「三度炊く飯の強《こわ》し柔かし」というのがあるように、飯の炊き方はなかなか厄介で、血の気の多い若衆ではとてもムラがあって駄目だから、盛りの過ぎた、少し浮世離れした女を使っていると、ある鮨屋が言っていた。

関西では、炊くとき昆布煮出汁《だし》や味淋を炊き込んで味をつけるが、東京では決してそんなことはやらなくて、単に白炊きである。

そして米は色が白くて透き通るようで艶があり、また硬くて小粒で丸味があり、芽点が小さく粒は揃っていて重いものが良いのであるが、磨ぐ時、水の澄むまで洗って笊《ざる》に揚げると、山形になった米がサラサラと上のほうから滑り落ちるようでなければいけないといわれている。

飯が小粒で艶のあるのは、食べる時の舌触りがいいからだともいわれているが、上等米はすべて小粒で艶のいいものである。

また粒の揃っていない飯は、米を混ぜ合わせたものか、不良米であるから味のいいはずがない。

しかし味付米として都合よく配合した米があって、それを盛んに鮨屋で使っている。それを鮨屋に聞くと、それは味のいい米というものは糯《もちごめ》のように粘りのあるものだから、サラッとさせるために他の米を混ぜなければ鮨米にならないから、米屋がちゃんと混ぜてくるものだという。

また二、三種類の米を混ぜないと炊くとき水の引きがうまくゆかないから、米屋では鮨米をそうするのだと、混ぜるのを当然のように言っている鮨屋がある。しかしこうした配合米より、純然たる上米のほうが遥かにいいことは明らかであるが、そんな米は米屋で出さないようである。

米を搗《つ》く時、機械で搗くと割れが多くて、そのうえ艶が出ないから、どうしても水車か足で気長に搗いたものでなければほんとのいい米とはいえない。それも硬地《こうち》の水車より、水地の水車のほうが良く、赤身の臼より、軟らかい白身の臼のほうがいいとされているが、これは少し理論で、赤身の臼で搗いたのか、白身の臼で搗いたのか食べ分けるほど味覚のデリケートな人も少ないだろう。刺身を食べてそれを切った庖丁の臭いから、その庖丁の産地および打人まで当てた人があるという話と似ている。

鮨には関取米というのが一等であるが、それにはいろいろの産地のものがある。産地としては昔○勘酢が全盛であった時代には、伊勢米や庄内米が喜ばれていたけれど、今は武州の越ケ谷米が一等である。しかしいつも品不足で、一流の鮨屋でもなかなかたくさんは手に入れることは困難だから、たいがい武州の粕壁《かすかべ》米か野州の印旛《いんば》沼《ぬま》付近のもので間に合わせているが、これらのものならばまず無難で上々の部である。

越ケ谷米の品不足なのは、土地も狭い上にその地方は煎餅《せんべい》を作ることが盛んだからそれに使われてしまうのだという話であるが、それはどうだか。

また熊本の菊地郡から出る肥後米も優秀なものの一つであって、中には越ケ谷米以上であると言っている人もある。

二十八、「きり」と「つめ」

よく田舎者が鮨に「たれ」を塗るというが、その俗に「たれ」というのは、実は二種類あって、一つは「煮切《にき》り」で一つは「煮詰《につ》め」である。

「煮切り」というのは鮪などに塗ってあるもので、醤油に味淋を混ぜてちょっと煮切ったあまり濃くないものである。商売人は略して単にキリといっている。

鮪《まぐろ》のほか鯛《たい》、平目、赤貝などの生もので味の薄いものにはこれを塗るのが通例である。「煮詰め」というのは蛤《はまぐり》、穴子などに塗ってあるもので、醤油と味淋とを混ぜて弱火《とろび》で一升を六合ぐらいに煮詰め、どろっとさせたものである。簡単にツメといっている。

弱火で一升を六合にするなんていうことは手もかかるし、金もかかるところから、ひどい所になると、醤油と味淋の外に砂糖を少し加え、強火で煮詰めた上で、さらに葛粉などを混ぜてとろりとさせている家がある。

蛤、穴子などのほかに章魚《たこ》、烏賊《いか》、鮑《あわび》などの茹でたもので、味の淡白なものにはやはりこのツメが用いられる。

元来穴子とか蛤とかいう煮物に引くツメは、その種《たね》を煮た煮汁をさらに加味した上で煮詰めて、蛤の煮汁から取ったものは蛤に引き、穴子の煮汁から取ったものは穴子に引くのが本格であるが、現今の鮨屋ではそんな手のかかることをする家は稀《まれ》である。

したがってこのツメを作る時の細かい手加減、舌加減などはどこの家でもまあ秘伝というようなものになっていて、煮物に対する鮨屋の腕の見せどころは半分はこの詰めにあるのである。

そこで霊岸島鳴門《なると》鮨の主人が、穴子とこの詰めとの関係を次のように語っている。

「穴子の味を生かすか殺すかの大事なものは例の詰めで、これをスーッと引いて、酢の味の飯とともに穴子を口に入れると、フンワリした味が舌にのる。したがって詰めは強くていけず、弱くていけず、やわらかくてもかたくてもいけませんや。これにはずいぶん鮨屋も苦労しますよ」と。

二十九、海苔と海苔巻

◇江戸名物

海苔は江戸名物の随一として昔から多くの人に賞味され、その舌にのせた刹那に感ずる味と香りとは、淡白と粋とを生命とする江戸っ子を象徴するといっても差支えない。すなわち海苔の味は江戸の味である。したがって昔から今に至るまで、江戸名物番付の横綱を張り通しているのも当然であり、また海苔党の多いゆえんである。

橘斉《きっさい》の句に、「江戸の気に今日はなりけり海苔の味」というのがあるが、どこか海苔屋の広告に使われている。

◇浅草海苔の由来

いうまでもなく海苔は至るところの木石に着生する海草の一種であるが、なかんずく美味なのは、東京湾内で採れるいわゆる浅草海苔である。

浅草海苔という名の由来は、昔浅草川（今の隅田川）で採って浅草で漉《す》いたから、この名が起ったのである。それも今の吾妻橋付近であるとのことである。これは浅草紙の製法から暗示を得て漉いたものである。

天和時代にはすでに浅草に海苔専門の商売人も出来たのである。元禄十六年の大地震に地形一変し、浅草では採れなくなって、大森、羽田に移ったのである。

また一説には浅草が繁華になって埋立などしたので、海苔の養殖が駄目になったので羽田に移ったものだとも言われている。

海苔はもっと古くすでに慶長時代に広島県佐伯郡大竹町に養殖が始まったという文献もある。

◇太巻と細巻

鮨屋に言わせると鮨の「いろは」は海苔巻で、また一面むずかしいのも海苔巻であると。だから鮨屋の修業は海苔巻から始めて海苔巻に終るべきであるが、それは鮨を尺二の高蒔絵《たかまきえ》、五段の重に盛った天明時代より明治の始めに至るいわゆる御膳《ごぜん》鮨のことで、青海波《せいかいは》巻《まき》、比翼巻《ひよくまき》、夫婦《めおと》巻《まき》、二枚巻などと巻物で切口を見せた鮨が流行した時代のことである。今のように細巻（篠巻あるいは鉄砲巻ともいう）ばかりの時代には、そんなに面倒

霊岸島の「鳴門鮨」。寛永二年の創業で当主はその六代目阿波屋彦兵衛氏。「海苔巻に渦をも見する鳴門ずし、八丁堀は阿波の門前」(江戸名所図会)。

なものでもあるまい。昔は五三の桐、菊水などという複雑なものまで巻いたのだから一修業いったことであろうが、今はせいぜい太巻でも普通の渦巻すなわち鳴戸巻ぐらいなものである。

太巻は古風な御膳鮨にはなくてはならぬものだが、屋台鮨は一種の簡易食堂であるから、こんな手のかかる太巻はやらない。もっともこの頃の出前鮨には、この太巻のないのがたくさんある。だんだん屋台化してゆくのである。

しかし細巻は中に干瓢を入れて巻き、横から吹けば干瓢が飛ぶように巻かなければいけないということもいわれるから、細巻でもなかなか馬鹿にできない厄介なものかもしれない。こうなると細巻も「鉄砲」でなく吹矢になってしまう。

細巻では海苔の爽やかな香りがぷんと鼻にきて、口に入れるとパリパリとくるが、さて舌の上では自然に溶けてゆくところが、海苔巻のいうにいわれぬ値打である。しめった海苔で巻かれて前歯で食い切らなければ食べられないようでは、もうおしまいである。

海苔は元来香味を賞するもので、一香り、二乾き、三味、四色の順である。

出前鮨では太巻でも細巻でも海苔の香気は失せ、湿気を含み、とうていこの特別な味を味わうことはできない。こんなところにも屋台鮨の旨さが存在するのである。

鳴門鮨主人の話に、ある時「今お前の前を通ったらいい海苔の香りがする。一つ巻いてくれ」といって入ってきたお客があったので、私はこんな嬉しいことはなかったと言っていたが、聞いたわれわれにも嬉しい話である。その鳴門鮨では、ことにこの海苔巻

「鳴門鮨」の折詰。小鯛の丸鮨・赤貝の牡丹・あやめに蝶の化粧など現代離れのした見事なもの。

が寛政二年以来家憲のようになっていて、やかましく言っているのだそうだから、鮨屋も鮨屋であるが、海苔の香りに引かされて飛び込んできた客も全く通人であったに違いない。

海苔巻の味は、一年中たいして味の変らないものであるというけれど、そんなものではない。

もっとも美味なのは暮頃から出盛る新海苔の味である。新海苔は十二月の初めから、市中には出始めるが、中旬から出廻るものが大森の本場ものである。しかしこれはくさがまだ少し薄くて、柔らかくて、鮨には巻きにくいし、風味もまたさほどでない。風味は何といっても一月中旬から二月にかけてのものが一等である。

その新海苔の春なお浅き香りは、通人の最も喜ぶものの一つである。

◇海苔の焼方

海苔は、焼いて始めて真価が出るものであるから、その焼方は細心の注意が必要であって、また海苔巻の秘訣も一つにこの焼方に存在するのである。ある地方では、海苔を焼かずに鮨に巻くところがあるけれど、鼻にくるものは、香りでなくて臭みである。

海苔は鰻《うなぎ》と同じように備長《びんちょう》で上手に焼くと、香気も味も失せず素晴らしいものであるが、現在の鮨屋ではこれを実行している家はあるまい。しかしこれも時勢であって、賞味する客も客であるが、儲け主義の今の商店では仕方のないことであろう。今では問屋が電気で焼いて卸《おろ》している仕末である。ガスで焼くにおいてはもう話の外である。

海苔の焼方の一番いいのは、海苔を二枚ずつ一度に焼くと、香気が失せないで味も良く焼けることとは世間一般に周知のことである。しかしこのとき大切なことは二枚裏どうし合わせて、それらの表面を焼くことである。また最初強火で遠くから炙り、少し硬くなったら段々火に近づけることが、焼方の秘訣である。

しかし商売人はこんな風に二枚ずつ焼いているのではとうてい間に合わないから、よく四六焼という焼方をやる。それは海苔一帖、すなわち十枚をとって四枚と六枚とに分け、四枚のほうは両面を焼いて真ん中からまた二つに分けて背中合わせにし、さらに両面を焼く。六枚のほうも両面を焼いて二枚ずつ裏返しにしてまた両面を焼いてゆけば、十枚全部が片面ずつ焼けてゆくわけである。

また普通は一帖の海苔の両面を焼き、二枚返しては焼き、二枚返しては焼きしてゆくと、五度で十枚全部が片面だけ焼けてしまう方法をやっている。

これらの焼方はいずれも表五枚、裏五枚が火にあたるから、あまり感心した焼方ではない。通人は海苔の裏に火の当るのを嫌うものである。しかしこれらの焼方は大衆向の鮨屋のやることで、焼貯めをするのだから、表も裏もたいした問題ではない。上等の鮨屋ではやっぱりその時々二枚ずつ合わせて焼いている。

◇**海苔の製法**

海苔は、元来一丈ぐらいの海中に簓《ひび》を立て、付着したる海苔の芽を摘み取って製するのであるが、その摘み取る時期は三期に分かたれ、名前も味も違っている。

本　草（黒目草）

秋　芽（第一期）――暮から一月頃に摘み取るもので、葉も軟らかく色も黒くて味も最上である。この時期に採れたものが、焼海苔や鮨の材料となる。海苔巻にはこの時期の終りと、次の冬至芽の始めに採れたものが最上である。

冬至芽（第二期）――二月頃に摘み取るもので、葉が多少は強《こわ》くなるけれど、貯蔵品または焼海苔、味付海苔にするに最も適当である。

季節違（赤　草）

寒　芽（第三期）――三月頃から海苔の終るまで摘むもので、草が成熟してくるから自然強《こわ》くなり、色も赤色をもってくる。馬鹿芽ともいう。

海苔の葉は薄く軟かく、長さ四、五寸から一尺ぐらい、巾は二、三寸から五、六寸ぐらいである。それをひびから摘み取ってよく洗い、よく水を切って敲《たた》き台の上にのせ、薄刃の庖丁か、海苔切り機械で裁断するのである。この裁断した海苔を樽に入れて、水でかき廻し、それを小さな容器ですくい、一度にさっと葭張《よしずば》りの上に流し、枠形に漉くのである。そのとき平等に枠の中に草が開くのである。そうして漉いたものは早朝から干場で干して、その日一日で干し上げるのである。ゆえに海苔の製造はいずれも午前二時、三時頃から始めるのである。

この海苔の大きさは従来まちまちであったから、それを一定するために東京湾漁業組合の者が協議して、東京府の焼印のある一定の枠を使うようになったから、今は左のような大きさである。

	横	縦	重量（百枚）
小判	六寸五分	六寸八分	四十五匁以上
大判	七寸	七寸五分	小判の五割増

ただし右重量は十二月分。一月は五十匁、二月は五十五匁。

細巻に用いる鮨海苔は食用海苔と同じにこの小判の大きさであるが、ただ普通のものより厚く漉いてあるから、穴もなく丈夫である。

太巻はこの大判のほうを用いる。そして一巻に二枚も三枚も使うものもある。

三州や奥州で出来るものは特別大判で、七寸五分に七寸九分のものもある。これはとうてい鮨には用いられない。芭蕉の句に「衰へや歯に食ひあてし海苔の砂」というのがあるが、これはもとより海苔の味を詠んだものではないが、奥州ものを食べた時の実感から来たものであろう。

海苔は朝鮮、広島、宮城、静岡などでも盛んに産出するが、とうてい浅草海苔の風味には及ばないのである。なぜ東京の海苔が良いかといえば、理由が二つあって、一つは隅田川が海苔の養分となるべき物質を東京湾に運んでくれるからである。一つは河水のために淡水、鹹水《かんすい》がほどよく混和してくれるからであると言われている。

伊勢湾では名古屋市の肥料が知多半島のほうへ流れてしまうので、東京湾ほどうまく行かないということである。

朝鮮ものは草が違うのだから、味が違うのも仕方がない。

東京では汚水を薬品で消毒して河へ流し込むが、あの消毒法では有機物がこわれるだけで、窒素化合物や無機物は海へ流れ込むからいっこう差支えないと、岡村博士は言っているが、事実は海苔の産額が毎年減じてゆくようである。しかしそれは河水の影響でなく、京浜運河や、埋立のために養殖ができなくなったためである。しかしそれは神奈川県の布目水産試験所長の沖取法が成功したから、再び増額されることであろう。

◇海苔の良否

海苔の良し悪しは香りは無論のこと、色は黒光りの中にも紫、藍、緑の三色がほどよく調和された物が上等品で、赤茶けたものは下等品である。紫がかった紫蘇の葉のようなものは、湿気をくって既に痛んだものである。奸商は着色してごまかすがもっての外である。

手触りはしなやかにして、ざらつかないものが良く、また厚身が一様で薄く、すかして見て穴の小さいものが良く、大穴があったり、馬鹿に厚いものは下等品である。良品はまた縁《ふち》が綺麗に一直線をなしているものである。

艶は照りのあるほど良い海苔である。

海苔は湿ると香気も味も落ちるものであるから、湿気は一番禁物である。

三十、鮪《まぐろ》

◇「ヅケ」と「トロ」

鮨屋でよく「ヅケ一丁!」なんていうのを聞くが、このヅケは「漬《つ》け」の意味であって鮪の握鮨のことをいうのである。

昔は今のように冷蔵装置が発達していなかったから、鮪を醤油の中にしばらく漬けて置き、それを笊《ざる》に揚げてから、握った飯の上にのせ、鮨としたからこの名が起ったのである。

「鮨を握ること」を「鮨をつける」というのはこのことから来ている。また脂肪身《あぶらみ》のところは醤油漬けにしても、醤油が利かないので防腐効果が少ないから、昔はほとんど用いられなかったのである。したがって今でも「ヅケ」というと脂肪身でない普通の身のところを指している。

「トロ」というのはトロッとしたところという意味で、鮪の脂肪身のところをいうのである。脂肪身といっても、脂肪と身とが層をなしているところを主としてトロといって、脂肪の平均に散らばっているところは、同じトロの中でも別に「霜降り《しもふ》」と呼んでいる。

客がよく「中トロをくれ」とか「半トロを頼む」とか鮨屋に注文しているが、鮨を食いつけない人がトロというのは何となくぎこちなくキザに聞えて、食いつけた人のは同じトロといっても、変に響かないから妙なものである。

このあいだ新橋のある鮨屋で、田舎出の受験生らしい学生がトロをくれよといって鮨を食べだしたが、「この山葵《わさび》は馬鹿だな」と言ったから鮨屋はムッと来たらしく、「生意気にトロなんて食べるからいけないんだ。トロは山葵が利かないもんだくらいノートに書いておけよ」と学生をやっつけていた。

玄人《くろうと》はトロという言葉はあまり使わないで、「大アブ」「中アブ」などという言葉を使っているが、「アブ」は脂肪身《あぶらみ》の意味である。味そのものより「トロ」という言葉が何となく通《つう》に聞えるので、猫も杓子もトロ、トロというが、実際はトロより霜降りのほうが格段の味があるので、通人はみな霜降りのほうを遥かに喜んで食べている。「トロ」をくれというお客さまは何でもないが、霜降りをくれというお客さまは恐いと鮨屋も言っている。

◇**鮪鮨の今昔**

鮪は元来上等な魚とされていなかったから、天保の末期に鮪の大漁があったがあまり売れずに残ったので、その捨て場に困ったのを、馬喰町《ばくろちょう》の恵比寿ずしが鮨ダネに使ったら、珍しがりやの江戸っ子の気質に当って流行したものだということである。

それでも鮪は下魚とされていたし、出前鮨は鮨に握られてから人々の口に入るまでには相当な時間がかかるので、鮪の色や味は落ちるから高貴な方々に納めた鮨には、鮪はヅケにせよトロにせよ付けなかったものである。

今でも宮内省や華族の屋敷に出前になる鮨には、特に注文のない限り、鮪は使わないのが普通である。

また一方、トロは確かに屋台鮨から発達してきたもので、あまり上品な物でないからちょっとした鮨屋では出前に普通の鮪はつけてもトロは決してつけない。

麻布飯倉の「鳴戸鮓」。昔から屋敷方へ出前専門の老舗で家の感じも鮨の味もともに上品である。

それにしても旧魚河岸の「マグロデー」が繁昌したり、支那料理が流行したりするのは現代人の味覚が確かに淡泊に飽きて濃厚になりつつあるからである。たとえば華族の奥様や女学生さえ「トロはおいしいわね」と出たり、また下町の子が「おとっちゃん十銭くんな、トロを食うんだから」などとくる時代である。

天ぷらは海老、鮨は鮪といったふうに、鮪が今は鮨中の王者の位置を占めているが、中でも「トロ」はこんな風に全盛である。

要するに鮪鮨は一番食べ手が多いから、それだけは力を入れて大振りなものにして安く旨く見せかける看板鮨で、商売人は素人《しろうと》欺しのものだとも言っている。したがって鮪一つでは儲けが薄く、他のもので儲けているのである。洋食屋のカツレツ、ライスカレーに対照されるべきものであろう。

鮪にはいろいろ種類があるが、冬盛んに食べられる鮪はシビである。夏になるとシビはシュンを外れてトロなどはだいなしになってしまう。しかし夏は同じ鮪でもキワダのシュンになって、軽い上品な味の鮨が食べられる。カジキは秋から冬がシュンであるけれど、その時はシビの美味い時だからシビにおされて一般に喜ばれない。

◇鉄　火　巻

鉄火巻とは鮪の海苔巻である。

なぜこれを鉄火巻というかというと、昔、博奕打《ばくちうち》を鉄火といった。その鉄火の連中が賭場《とば》で空腹になった時、お膳でも厄介だし、丼でもないというところからよく鮨を食べた。鮨の中でも海苔巻が手が汚れないので一番喜ばれた。しかしアブク銭を使う連中のことだから、ただの海苔巻では満足しないで、干瓢の代りに鮪を入れたらどうかという工夫が生れた。そして賭場の流行はたちまち一般にまで拡がっていって、鉄火の食う海苔巻――鉄火巻という言葉ができた。

この鉄火巻は鮨としては贅沢な部に入っている。海苔と鮪とを使うので味も格別であるが、したがって値段も割高になっている。

しかし多くの屋台店ではこの割高な鉄火巻を、切れ端の鮪で利用する。言葉は悪いが廃物利用である。つまり一番儲けられるところのいわゆる「隠し料理」であって、安洋食屋のコロッケというところである。

最近は鉄火丼というものが流行している。飯の上に鮪をのせ、サビをきかせ、細かい海苔をかけた丼であって、鉄火巻と同種同味なところからこの名がある。

三十一、鰹《かつお》

鰹の鮨は、魚河岸あたりの鮨屋に行くと、時たま食べられることがあるが、普通の鮨屋ではほとんど食べられない。それは鰹は色変りが早いから、出前鮨にはもちろん向かないし、屋台鮨でも値との関係があるので、なかなか使い切れない。

今は、安値で多量で栄養価値があって、衛生的なのを第一として、味は第二で「不味《まず》かったらフライにするさ」といったような主義のモボモガが多い世の中だから、初鰹のような不経済な鮨は喜ばれないのも時世時節《ときよじせつ》である。

もっとも味そのものは、初鰹より秋の鰹のほうが脂肪が乗ってきて美味なのである。それを昔、江戸っ子が初鰹に対してあんなに千金も惜しまないとまで騒いだのは、畢《ひっ》竟《きょう》江戸っ子の気早な性質が、走り物を尚《たっと》ぶ気風を生んだからであろう。一つは品がすれによる珍重味と、あのハチ切れそうな恰好とが、江戸っ子の人気に投じたからである。

鰹の鮨には卸《おろ》し生姜を入れて山葵《わさび》を使わないものであって、薬味として鰹に一番調和するものは辛子か生姜で、次が葱《ねぎ》、大根おろしで、山葵は最も不調和なものである。魚屋で鰹の刺身に山葵を付けたら、その魚屋は駈出《かけだ》しにちがいない。鮨屋でもそうである。

鰹は鮨にしろ刺身にしろ、薄身では味が出ないから、通人は鮨なら厚身、刺身なら賽《さい》の目を喜んでいる。

鰹は候魚《こうぎょ》といって、気候により棲処《すみか》を移すものであるが、最初黒潮に伴われてきて、九州方面にあらわれ、次に土佐に進み、それから遠州灘、伊豆岬とやって来て、東京市場を賑わしてから、さらに三陸方面から北海道まで行ってしまうが、これを「上《のぼ》り鰹」と呼んでいる。秋口になって水温が下ると、また遥か西南海に帰ってしまう。これを「下《くだ》り鰹」と呼んで、上り鰹より脂肪が多くてほんとの味は上であるが、外海を廻って帰るものが多い。

昔は運輸の便が悪かったから、そんなに遠方から東京に入荷するものはなく、初鰹はみな鎌倉あたりから来たものである。

秋口の鰹に、身の溶けるように軟かくて美味な、「もち鰹」というのがあるが、東京人はやっぱり初鰹のほうを遥かに尚《たっと》んでいる。

三十二、穴　子

穴子の味は東京湾のものに及ぶものがなくて、特に台場ものという京浜線の鮫洲《さめず》および浜川一帯で取れるものが一等である。それから向う岸の房州に行っては、木更津《きさらづ》辺で取れるものも上等である。安物になると松島や朝鮮あたりから来るが、身はくちゃくちゃで皮は強《こわ》く、その上いやに白ちゃけて問題にならない。

これらはいずれも「筒穴子」といって、竹筒を海中に沈めて置いて取ったもので、釣ったのより味が上である。

大きさは二つ切りにしてつけ得る程度のものが最上である。中には尾を少し折り返す程度の小さいものを、丸づけにして喜ぶ人もあるが、やっぱり脂肪の乗りが足りなくて、物足らないところがある。

シュンは鰻と同様に、ほとんどシュンらしいシュンがなくて、煮物ではこれが一年中喜ばれている。しいて言えば冬である。

穴子の握りにはツメを塗って、山葵《わさび》を入れないのが普通であるが、特に山葵を入れて注文している人を見受ける。

また酒の肴《さかな》に、煮た穴子だけを取って飲む人があるが、その時は鮨屋のほうで、薬味は山葵を添えて出すのが例である。

穴子は皮のほうの黒い所に、白い不快な色が浮いているものであるが、握りにはどこの鮨屋でも、二つに切った上半分は必ず皮のほうを上にしてつけている。ところがその白い色がいやだけれど、穴子の美味《うまみ》に引かれて、上半分でも穴子を裏返しにつけて貰《もら》って食べている潔癖家がある。尾のほうは裏返しにつけるのが普通である。

その人のいうのに、料理のほうで鰈《かれい》や平目を皿につける時は、表の黒皮のほうは汚いから、必ず下にしてつけるものである。それと同様に、穴子は皮を下にして握りの上に乗せたほうが、確かに美観を呈して、味も何割か増すわけである。だから裏返しにつけてくれと注文するのは潔癖家というよりも、むしろ鮨屋より一段と進んだ通人であると自称している。しかし腹のところの外に出ているのはツメを塗るとはいえあまり感心したものでない。

穴子が冷たくなっていると不味《まず》いというので、焙ってつけてもらう人があるが、冷たくても美味しくないが、焙っても味は変なものである。

元来冷たくなると硬くなるから、鮨屋のほうで焙ってつけたものであるのを、冷たくもないのに通ぶって焙ってもらう不心得の人もある。だから冷たくなく、硬くなく、焙らないでしかも歯を使わないで食べ得る穴子でなければ感心したものでない。

四谷大木戸の「蛇の目鮨」。二ツ切りにした鮨を朱塗りの飯台に小ぎれいに並べ、一口に上品に食べさすあたり嬉しくもあり珍しくもある。

そこにゆくと旧魚河岸の宇の丸鮨で食べさせる穴子は、いつも温かく、口に入れると溶けるような柔らか味を持った美味いものである。それは鮨につける前に穴子を一度煮て、それから握りにして、その上からその煮た汁をたっぷりかけるので、鮨ではないと非難する人もあるが、それは形式を尚《たっと》んで、味を第二とした朴念仁《ぼくねんじん》といいたい。昔、日本橋の鞍掛橋際に屋台店で、やっぱり穴子をこうやって食べさせた爺さんがあったと聞いている。

どこの鮨屋でも穴子の煮方にコツのあるのは勿論《もちろん》だが、それに引くツメ、酢の味、それらをうまく調和させるところに、鮨屋として煮物に対する腕の見せどころがあるのである。

煮物のうちでも蛤《はまぐり》よりこの穴子に、一段の修業がいるらしい。

穴子はそうたいして相場の違ったものはないが、鰻《うなぎ》になると養魚ものなどあって、値はピンからキリまであるから、本所あたりの労働者相手の鮨屋では、鮨の値を安くしなければならぬ関係上、ときに穴子の代りに鰻をごまかして使うことがあると、ある鮨屋が自白していた。それでも一日の労働に疲れて空腹を抱えた連中は、鮨をむさぼり食うのでそれを穴子だと思って、うまいうまいと食っているそうである。それでも時々「親父！　坊主を食わせたな」と怒られることがありますよと言っていた。

このごろ鮨屋でよく穴子丼というのを見かけるが、鰻丼の鰻の代りに穴子を使ってあるもので、ただ蒲焼《かばやき》にしてなく鮨ダネをそのまま使ってあるから煮ただけのものである。

しかし関西で押鮨に使う穴子は、焼いてから煮てそれを鮨にしてある。

三十三、「鮨は小鰭《こはだ》に止め刺す」説

江戸末期に鮨を売り歩く職人は、すべて物綺麗なっくりで手拭を吉原かぶりにして、草履をひっかけ、粋な声で「鮨や小鰭のすーし」と呼んで歩いたもので、食物職人中一番粋なものであった。

それで「坊主だまして還俗《げんぞく》させて、小鰭の鮨でも売らしたい」という言葉ができたのであるが、元来坊主は美男のものが多いから、この鮨売の粋な出立《いでたち》をさせたらどんなに素敵だろうという意味なのである。そんな風で、至るところ鮨屋さん鮨屋さんと大もてで、ついにこの小鰭を食べなければ江戸っ子に非ずといわれるまでになってしまって、「鮨は小鰭に止め刺す」という諺《ことわざ》ができたのであると、ある人が言っている。

ある人はまたこれと違って、東京の握鮨は一般に新鮮味を第一としているが、中でも「なれ味」のあるのは小鰭であって、酢を含んだ飯と一番調和するから、小鰭の鮨は馬術の鞍上人なく、鞍下馬なしといった趣があると。また鮨を食べ尽した通人は、小鰭は嚙みしめるとなんともいえない味があって、そのうえ一番飽きがこなくていいと言っているし、自分も鮨の中では小鰭が一番と思う。だからやっぱり鮨は小鰭に止め刺すのだと主張している。

またある人は、「止め刺す」というのは「最後」という意味で、小鰭は鮨中一番生臭いから、初めに食うと他の物を不味《まず》くしてしまうから、小鰭を一番最後に食えという教えであると言っている。しかしこれは少し与太《よた》のようであるが、また面白い一説である。さて、どの説に軍配を挙げてよいやら。

三十四、小鰭《こはだ》

「鮨は小鰭に止め刺す」というくらい、小鰭が珍重されることは前に書いたが、それほどまで好きな人がある一方、また嫌いな人が多くて、鮨食う客の七割までがこれを嫌うという変な現象を呈している。ことに女や子供には嫌いな人が多い。そんな風に、好きと嫌いとが極端に分かれていて、中間の人が少ない。

それはちょうどウニやトマトが人から馬鹿に好かれるかと思うと、反対に馬鹿に嫌う人が多いのと同一である。一般に大して好かれない食物は、また大して嫌われないものであるという法則の裏を行っているわけである。

天ぷらの横綱は海老だが、通人はギンポーを喜ぶように、鮨でも横綱は鮪《まぐろ》で、通人は小鰭を尚《たっと》んでいる。

元来小鰭は出世魚の一つで、一寸五分ぐらいのものを新子《しんこ》といい、二、三寸のものを小鰭といい、それが少し大きくなると地方でいう「中ずみ」あるいは「つなし」になり、さらに七、八寸に生長して鰶《このしろ》と呼ばれるのである。

東京湾の鰶は、毎年春から夏にかけて産卵するが、秋になるとそれが一寸五分ぐらいの新子となって市場にあらわれてくる。

これは握りに一尾つけると少し小さいので、二枚づけにして東京の初物食いが喜んでいるが、何といっても脂肪が足りないから味は第二で、珍《めず》らし味が第一である。

十一月頃になって、三寸ぐらいの小鰭になると、脂肪ものってきて素敵に美味になってくる。だから東京湾の小鰭は冬から翌年三、四月頃までがシュンで、それから先は鰶になって鮨には大きすぎるし、産卵期に入るから味は落ちてしまう。

したがって夏は東京に小鰭はないはずであるが、今は各所から旅のものが入ってくるからほとんど年中ある。昔は冬、小鰭のたくさん獲れる時に、一年中のものを買い込んで、貯蔵したものだということである。そして今のように冷蔵装置が発達していなかったから、これを貯蔵して生々《いきいき》とした色と味とを保たせるのはなかなか大変なことで、鮨屋はこれを腕前とし、また秘伝とした。まず小鰭の腸《はらわた》を抜いて、酢と塩とで甕《かめ》に漬け、目張をして、縁《えん》の下などに入れて、いわゆる「地息を吸わせる」という方法をとっていたようである。

東京近所では千葉の浦安、行徳方面から来るものが歓迎されている。

酢のものは一般に小鰭か小鰺ぐらいのものであるが、これらの物は酢加減が大切で、屋台と出前では手心が必要だし、酸《す》からず、甘からず、また銀色の冴えも落さないようにしなければならないから、酢の選択、塩の分量、漬け加減など鮨屋の腕のいるものである。

漬ける酢には少し醤油を落すと味が増す、とある鮨屋が言っていたが、これはどういうものか。

また小鰭や鯵のような光りは、生姜を添えて食べると風味を増すものであるといわれているが、山葵《わさび》を抜いて生姜をのせて食べる人があるが、生臭味が消えて、酢にしたタネと生姜との調和も非常に良くて、感心した食べ方である。

昔の鮨は魚ばかりの鮨であったから、大きさなどかまわないので、小鰭も鯨も一緒に鮨にされていた。そして宝暦頃までの江戸の昔は芝神明の祭礼にだけ、この鮨を売る屋台店が出て名物となって盛んに売ったので、「このしろが鯛《たい》になるのも御縁日」という川柳がある。

三十五、鯵《あじ》

小鰭《こはだ》のシュンが過ぎて梅雨期になると、今度は鯵のシュンである。それから夏一パイそのあっさりした嫌味のない味が鮨通に持てはやされる。夏は鮑《あわび》、海老もいいが、何といっても鯵が一等である。ことに皮と肉との間の脂肪の味が舌の上にしみ出てくる時は、たまったものでないと鮨通がいうが、全く美味い粋な食べ物である。

だから小鰭がない時は鰺、鰺がない時は小鰭といった風に、光りは年中鮨通を喜ばせているから、「鮨は小鰭に止め刺す」というけれど、実は「鮨は光りに止め刺す」といいたいところである。

鮨の新鮮味を添えるために、銀色かがやく光り物がなくてはならないが、小鰭のシュン外れの夏には、レキとした小鰺があるからそれを用うべきである。それにもかかわらずよく夏、シュン外れの小鰭を下等な鮨屋が使うのは、シュンの鰺よりシュン外れの旅の小鰭のほうが値が安いからであるが、どうも困った時代である。

出場所としては、東京付近では六郷川尻のものが良く、また房州金谷や相州腰越あたりからは、胴も詰って肉付もよい生々《いきいき》とした奴がくる。

食通は一般に生簀《いけす》のものが美味だというが、この鰺ばかりは例外で、生簀に入れておくと色が銀色でなくなるが、青光りがしてきてちょっと見はいいが、皮は硬くなってくるし、味も台なしになってしまう。

鮨屋によっては鰺の皮をむいてつける家があるが、あれは関西式で感心したことでない。関西ではいい鰺がなくて、皮が強《こわ》いからむいてつけるのであるが、鰺で皮が強いようでは値打がなく、またせっかく生々とした新鮮味のある銀色をわざわざ取ってしまって、カサブタのような色にしてしまうのは馬鹿の骨頂である。鮨屋のほうでは親切気か、またごまかしか知らないが、そんなことをしては光りの真髄を失ってしまう。

鰺は小鰭と同様、山葵《わさび》を抜いて生姜を添えて食べるのもまたいいものである。

三十六、赤貝

赤貝は、年中あって貝類中では一番愛好者が多いが、赤貝や蛤のシュンは初春彼岸までで、夏になったらもう産卵も終って脂肪は抜けるから、味はずっと落ちてしまう。だから夏、赤貝はあっさりしていいなんて思って食べていると、鮨屋のほうでは心の中で、味は第二のお客さまかと笑っている。

しかし赤貝を食う客が不粋か、赤貝を置く鮨屋が野暮か、どっちもどっちである。客は、赤貝は新鮮であっさりしていいという衛生第一主義でゆくし、鮨屋はこの不景気では安いものでも使わなくてはという儲け主義でゆくし、そこはいい勝負である。

夏の貝類は何といっても鮑《あわび》が第一で、相州九里浜や野比から来るものが上物である。また伊豆の真鶴《まなづる》付近と、初島《はつしま》から来るものも上等である。ただし酢貝としては房州物に限られていて、島崎、川名辺で獲れる物は、香りがほかのものとは違って一段強い。

赤貝は、身より縁《ふち》と柱のいわゆる「ひも」のほうが評判がいい。事実「ひも」のコリコリする歯あたりと、嚙みしめた時の味とは身より一段上である。しかし見場は悪くてとうてい身に及ばないから、出前鮨には不向である。「ひも」は、やっぱりトロと同じように屋台のものとされていて、手早く作って手早く食べなければ「ひも」が崩れてしまう。

「ひも」に海苔を細く切って帯にする鮨屋があるが、あれはシャレのように見えるが、実は「ひも」の握り切れない駈出《かけだ》しのごまかしである。

震災前、須田町にあった鮨屋で、赤貝を客が注文すると、すぐ生きている貝を割って塩でもんで、ちょっと酢につけて鮨にしてくれる家があったが、今はなくなってしまっているので残念だ。他にもこれと同じような店があったそうだが、やっぱりスピード時代だから、貝を割るその手間がモボなどには待遠しくて駄目だったらしい。

本場ものは房州の青堀から来るもので、肉は厚く色は赤味の強い樺色で、一見してバチと区別ができるが、一個二十銭も三十銭もするそうだから、普通の鮪屋では使い切れないのも無理はない。

バチとしては三河・伊勢から盛んに東京に入ってくるが、味も香りもたいした相違である。しかし赤貝とはこんなものと思っている人が多い。

昔、牛込の紀の善から酒井家に納めた握鮨に、赤貝で牡丹を作ったものがあったと、ある古老から聞いたことがある。それは布巾に赤貝の身を花びら形に並べ、中央に飯をのせ、さらにその上に炒り玉子を花粉になぞらえて並べ、次に布巾を束ねて赤貝で飯を包むから、赤貝の身が花びらになって、樺色の牡丹という恰好の綺麗なものができあがるのである、と言っていた。そして熊笹を牡丹の葉形に切って添えてあるというから、確かに見事なものであったに違いない。

三十七、海　老

東京料理の四天王と称されるものは、鮨、天ぷら、蕎麦《そば》、鰻《うなぎ》であるが、鰻は別で、他の三種はいずれも車海老がなくてはならないものである。鮨では海老の値が高くて儲けが少ないから、屋台店では海老を置かないところがあるが、出前鮨にはなくてならないもので、紅の段だらが鮨皿の上位に光っていないと、とても見すぼらしい皿盛になってしまう。

また料理屋でもこの車海老はぜひ必要なものであるから、一般に東京料理としては海老が付きものであるといっても過言でない。

それは車海老の本場が東京湾であるから仕方がないが、東京のこれら諸料理屋の要求を満たすには、とうてい東京湾のものだけでは足りなくて、旅のものとして松島、浜名湖、渥美湾、九州などから獲れたものがどしどし東京に入荷してくる。それでもなお足りなくて、遠くアメリカで養殖した車海老や、大連、青島で獲れた大正海老などまで押しかけてきて、相当な鮨屋までこの船来ものでお茶を濁しているが、東京湾のものに比べると値段は半分であって、味は半分以下である。

東京湾で獲れるものは千葉の船橋から寒川辺にかけてのものと、羽田以南で獲れる神奈川ものとが最上である。

海老は冬期になると砂にもぐって冬眠するので、自然には漁が困難になるから、各地の浅瀬に夏とれたものを囲っておいて、冬それをどしどし掘り出して市場に出しているのである。

それで、海老の美味なのは冬で、値段もまたこの冬が一番高い。しかし夏でも本場ものになると立派な味を持っている。

海老は茹でて皮を剝き塩にしてそれをまた洗って二杯酢か三杯酢に漬けるのであるから、大変手数のかかるタネである。それもその茹で方が大変で、下手をやると皮を剝く時、節々の紅い皮がメラメラむけてしまってノッペラ棒になってしまうから、この海老を扱わせると職人の腕がわかると鮨屋が言っている。

日本で獲れる海老の種類は、学術的にいうと三百種もあるそうだが、人の口に入るものはまずこの一割ぐらいである。握鮨には車海老で、五目のおぼろには芝海老が一等である。その車海老にもいろいろ種類があって、足の赤い赤海老や背中の甲羅に筋のある筋海老などが普通である。東京湾で獲れるものはこの筋海老（縞海老ともいっている）で、外国から来るものはこの縞《しま》海老に似ているが、この種類特有の縞がなくて同じ車海老でも種類の違ったものである。

伊勢海老の色は棲む砂地の色によって左右されないが、車海老は土地の色によって縞の色がちがうから、蓄養《ちくよう》する所では赭砂《あかずな》を入れて縞を赤くする。そうすると美味しそうに見えるからである。

京都には「躍《おどり》ずし」、大阪に「生きた寿司」というのがあるが、いずれも海老の生きたのを皮を剝いて握りにつけてきて、それに醤油を引くと海老の神経が醤油に刺戟されて身が動くので、そんな名前を付けただけのことである。

三十八、わさび

刺身、酢の物、洗いなど日本料理の生もので、山葵《わさび》を用いないものは一つもないといっていいくらい、薬味として山葵は重要の位置を占めている。その生々《いきいき》とした香りは実に香料中優《ゆう》たるものである。

その香味が潑剌《はつらつ》たる江戸っ子の嗜好に投じて、鮨に、蕎麦《そば》に、盛んに使われたのは無理からぬことである。

鮨では鮪《まぐろ》、光り、貝など生ものはほとんど全部山葵を使っているが、もしこれらのものに山葵を入れなかったら、それこそ仏作って魂入れずという不始末である。関西鮨では薬味はただ単に生姜ぐらいのものだが、東京鮨は一口食べてツーンと山葵が鼻に抜けるところに、握鮨の気分が漂うのである。しかし江戸っ子にあれだけ騒がれた鰹《かつお》も、その鮨にしろ、刺身にしろ、薬味は山葵でなく、生姜か辛子であるのはいかにも皮肉なことである。また生ものでも山葵を取ったいわゆるサビ抜きという抜け殻みたいなものを食べて喜んでいる女子供もあれば、「旦那、とうとう貰いましたね」とからかわれて、サビ抜きを食べてゆく雪駄ばきの青顔もある。また海苔巻の干瓢の代りに山葵を入れた「サビ巻」などを特別に注文して、海苔と山葵の淡白な風味を調和させて喜んでいる通人もある。

山葵は生ものの調味料としてばかりでなく、魚類の中毒消しという大役も勤めているといわれているが、毒消しは確かに大役かも知れないが、艶消しでもあって、そこまで考えてくると山葵のせっかくの風味も、有難味がなくなってしまう。

◇鮨屋も山葵に三年

素人は品質の良い本場ものさえ使えば、山葵なんか何でもないと考えているが、「鮨屋も山葵に三年」といって、一流の商売人はなかなかに苦労しているものである。しかしこの三年というのは、もと山葵は三年たったものを使っていたからその三年に意味をかけたのである。

多くの客は涙が出るほど山葵を利かせば喜んでいるのだから、今の鮨屋は量をたくさん使いさえすればそれで充分で、山葵に三年の修業はいらないが、心ある職人は客の涙の出ない範囲で山葵を利かさなければならないから、品質の良い山葵を用いることは勿《もち》論《ろん》だが、「タネ」によって山葵の利《きき》が違うので、「タネ」に応じてその量を加減する必要がある。海老より赤貝、赤貝より鮪、といった具合に、脂肪《あぶら》の程度によって山葵の量を多くしている。「トロ」のような脂肪ぎったものになると、山葵の利《きき》は実に悪くなるものである。

人の口には冬より夏のほうが山葵の利《きき》が良くないし、山葵自体も春花が咲いてから秋までは、生長に追われて辛味も風味も悪い時であるから、これらも考えなければならないところである。

また山葵は元来、鯖《さば》の生臭味を消すため、文化年間に深川の松ケ鮓で始めて使いはじめたもので、山葵は一般に魚類の生臭味を消すから、小鰭《こはだ》や小鯵《こあじ》のような生臭い光り物には少し多量に使ってほしいものである。

今の鮨屋の多くは十把一からげで、ここまで注意してくれるものが少ないのは残念なことである。

しかし客も客で「山葵をウント利かしてくれ」などといって、涙をぼろぼろ流しながら食べて、鮨屋から「どうもご愁傷さまでした」などと言われて帰ってゆく客は、全くご愁傷さまな、味もへチマもわからない野暮な半可通である。

◇山葵の風味と力

山葵はツーンと鼻にきて、パッと消えてゆくものが上物だなどという人があるが、それは山葵のほんとうの上物を食べたことのない人のいうことで、馬鹿な山葵より数段上等で、素人だましにはちょっといいが、本場ものの一等品は決してそんなものではない。口に甘味が残って、鼻に辛味がおもむろに来て、またおもむろに消えてゆくものがほんとうの上物の風味である。

商売人は擂《す》りおろした時の粘りを「ノリ」といい、また辛味の続く時間を「力」というが、本場の上物はこの「ノリ」が強く、したがって力も強いのが特長である。「ノリ」の弱い場違いの物はバサバサしてどうしても辛みが少なく、苦味が伴う欠点がある。また本場ものは心《しん》まで青いが、擂《す》ってから青臭味がちっともなく、力が強くて辛味がいつまでも消えない。

山葵も植えつけてから三年経った六、七寸のものは、風味も力もしっかりしているが、今はみな一年半で市場に出されてしまうから、大きさも大概三、四寸ぐらいのもので、味がどうしてもほんとうにゆかない。

葉の付根のほうが太くて先端が細く、ちょうど西洋人参のような恰好のもののほうが上等品で、葉の茎も赤味を帯びているくらいが素敵なのであるが、葉茎が青くて、根の先端の太ったものを使っている鮨屋が多いのも困ったものである。

山葵は頭のほうから下《おろ》さなければ辛くないといわれているが、それは山葵は頭のほうは「ノリ」が強くて辛味も強いが、尻尾のほうになると段々「ノリ」は薄く、辛味は減じて、色も悪くなってくるからである。こんな尻尾のほうは使いたくないものである。

皮はよく洗えばむかずにおろしても、本場ものは色が青々として清々《すがすが》しい。黄味を帯びた中に黒皮が擂り込まれている山葵などは論外で、風味などあったものでない。

またおろすには大根下しでおろしては、パサパサになって辛味が出ないから、必ず金属性の目の細かい山葵下しでおろさなければならない。それも下しの裏を火で少し温めてからおろすと、「ノリ」が出て辛味が増すこと妙である。

とにかく山葵はおろしているうちに、目鼻が痛くなるくらいのものでなければ上物とはいえない。

なお下《おろ》すには、単に山葵を上下に擂ったばかりでは駄目で、楕円形を画くように擂れば、細かく下りて「ノリ」が出るから、辛味も増してくる。鮨屋や魚屋はさらにそれを庖丁の背で叩いて、「ノリ」を出して、一層キキをよくしている。

本場ものをこうやっておろせば、醤油に入れても容易に溶けない。箸でかき混ぜて始めて混ざるくらいである。醤油に入れると、パッと散るのが上物などというのは嘘の話である。

◇山葵の本場とバチ

山葵の本場ものというと伊豆と静岡市付近のものであるが、伊豆は年々百万円ぐらいの産額を持っているから大したものである。伊豆も湯ケ島が一番たくさん出るので有名だが、特にその一部の沢には山葵としての最優秀品の出る所があって、宮内省の御用をつとめているという話である。

静岡物は俗に鮨屋山葵といって、伊豆より小さくて値も安いが、一流の鮨屋では大部分これを使っていて、市場では一年立《だち》といっている。小さいので一年坊主という意味だが、実際は一年半はたっているものである。伊豆物の中でもごく上等品になると、二十本十四、五円もするので、とうてい鮨屋では使い切れないが仕方がないことである。

次が信州穂高町と木曽福島から出る信州物で、伊豆同様、年産額百万円を出しているが、その量においては東京の山葵の八割を占めているから驚かされる。伊豆は場所が狭くて行詰っているが、信州はまだ広大な場所を持っているから、今後ますます本場ものを圧倒する傾向がある。

信州の山葵は最初静岡から移植したものだと聞いている。またいったん静岡に行って本場ものの銘をとった山葵漬が、どしどし東京に入るという話も聞いている。

そのほか青梅地方の多摩川べりや、神奈川県溝あたりからも東京に入荷されているが、ごく少量で格もずっと下である。

本場伊豆の最上品と、信州の最上品とでは、風味はたいして相違しないが、普通品ではその辛味の持ち、すなわち「力」は非常な相違である。伊豆物はおろしてから十時間も辛味が消えないが、信州物はわずか三時間しか持たない。これが本場ものの尚《たっと》ばれる一大理由である。

「ノリ」においては信州物のほうが上であるのと、それに値が安いのとで、市場では今は本場を凌駕している次第である。

◇山葵の栽培

山葵の花はなたね、大根などと同じように花弁が十字形をなしている十字科植物で、蕗《ふき》の一種だけれど、種子で繁殖するのでなく、薯《いも》のように子で繁殖してゆく種類である。大根と同じような白色の小さい花で春咲くが、伊豆と信州とでは二ケ月ぐらい早い遅いがある。花が終ると子ができ始めて、暮には一寸ぐらいになる。その子は多いものになると五十本ぐらいもできる。花が咲いてから後はしばらく生長が急激だから、勘定高い産地ではこの間しばらく市場に出さないで、大きくなるのを待っている。

場所は山間のこんこんたる清水の流れる沢に植えつけて栽培するが、この清水と山葵とは密接な関係があって、伊豆は天城山の清水が山葵に適しているから、良質なものが得られる。信州穂高町のものは北アルプスの溪流により、木曽福島のものは木曽の清流により育てられているのである。また同じ沢でも、周囲の山葵より中央の山葵のほうが辛味が強いが、それは周囲と中央とでは流れが違うからで、そのくらい水に対しては鋭敏なものである。枯葉が山葵にひっかかっても、もう流れが悪くなるのでいけないというほどである。蓼《たで》食う虫も好きずきというが、山葵のような辛いものを蟹《かに》が好んで食うから面白い。

もとは山葵は三年とされたものであるが、今は一年半でどしどし市場に出してしまうから、昔のような良質の山葵はなかなか手に入らない。

大きさは場所により非常にちがうが、まず一年半で二寸ないし五寸ぐらいである。伊豆の近江村から出るものは一尺ぐらいの大きさのものもある。一般に伊豆は育ちがよく、次が信州、次が静岡といった順である。

◇笑　話

ある鮨屋に学生が入ってきて鮨のできるまでに、「おじさん！　お茶は只《ただ》だろう？」といって何杯も何杯もお代りをした。ボールでもしてきた後だったらしい。鮨ができて一口パクリとやると、山葵がベラ棒に強くて鼻にプーンときた。すぐ目に抜けて玉の涙である。「おじさん！　あまりひどいや」と学生がいえば、鮨屋はすまして曰《のたまわ》く「山葵も只ですからね――」。

三十九、生姜《しょうが》

今の鮨の「つま」はすべて生姜を薄く切って味淋酢につけたものであるが、昔は生姜のほかに姫蓼《ひめたで》をつけた時代もあった。毛抜鮓でも蓼を使ったことがあったそうだが、今は生姜になってしまっている。

大阪の雀鮨では、鯛《たい》の押鮨に青い山椒《さんしょう》の実の粕漬が添えてあるが、生姜全盛時代には珍しいことである。

五目鮨には色どりの関係から、紅生姜でなくてはならないようになっているが、握鮨ではみな黄生姜を用いている。

もちろん大阪の押鮨では、鮨の性質上紅生姜を用いるが、東京の握りであの安っぽい赤味の紅生姜などをつけられたら、せっかくの新鮮味は台なしになってしまう。

仕切りに使う熊笹の青、生姜の黄、こんな所にも鮨の芸術味はあって、江戸っ子の清々《すがすが》しい趣味があらわれているから嬉しい。

生姜は一般に生臭味を消すものだから、小鰭を食べてから次に鮪を食べる時とか、赤貝を食べてから穴子を食べる時とか、種類の違ったものに移る時つまむのがほんとうの食べ方である。

また小鰭や鰺のような「光り」と海苔巻には、生姜を添えて食べると、鮨の風味を増すものである。

唐辛、胡椒、山葵《わさび》など辛いもののうちでは生姜が一番辛いといわれているが、それは生姜とほかの物とを同時に食べた時、他のものの辛味を生姜が消すからそういわれるのである。

したがって山葵が利きすぎた時には、生姜をつまむと辛味が消えるから妙である。

商売人はこの生姜を「ガリ」といっているが、これを旨く食わせる家は東京市中一軒もないといっていい。それは鮨屋が自分の家で薄く切るのでなく、みな魚河岸近所の「つま家」から仕入れて、それをただ味淋酢につけるだけだからである。「つま家」では、うごや大根、人参、生姜など料理に用いる「つま」を専門に作って売っているが、生姜を打つのに鉋《かんな》で削っているから、味はどうしても落ちざるをえない。

生姜の打ち方は薄刃の庖丁か、剃刀で刻むのが最上である。そしてただ味淋酢につけるだけでなく、水に晒《さら》してから味淋でザッと煮上げて、塩と酢で味をつけたもののほうが旨味が多い。

本場ものというと三河から来るものであるが、東京では千住の市場に集って来るものが多く使われていて、中でも千葉県の野田から来るものが大半を占めている。

いつ頃から鮨に使われたかということは明らかでないが、生姜は「波志加美《はじかみ》」といって、古事記や、和名抄などにも出ているから、随分古くから食用にされたことは確かで、おそらく藤原時代の鮨には薬味として用いられていたものではないかと思う。

昔は生姜と書かず薑と書いたものである。

四十、俳季に現れた鮨

俳句では鮨を夏の季題として取扱っている。これは昔の季寄《きよせ》なり、歳事記なりが京都を目標として編まれたからで、したがって京阪地方で行われている押鮨の材料とすべき、鮎《あゆ》なり、鯖《さば》なり、鯵《あじ》なり、小鯛《こだい》なり、鱸《すずき》なりが夏季の魚類であるからと、添物の蓼《たで》その他、青味がやはり夏季の植物であるからである。

昔の俳諧歳事記の鮨の条をみると、その種類に「宇治丸」「蛇鮓」「はたはた鮓」「釣瓶鮓」「早鮓」「一夜鮓」「飯鮓」「月夜」「雀鮓」などが表われている。

宇治丸というのは、山城宇治川で産する鰻《うなぎ》の鮨で、芭蕉《ばしょう》以前の有名な俳人の中では、西山宗因《そういん》の、

なれ圧してあっぱれ宇治の鰻鮓

などという句が残っている。

蛇鮓というのは越中の松皮鮓の異名で、やはり鰻鮓の一種である。はたはた鮓というのは羽前秋田地方の名産であるが、これは夏季雷鳴の夥《おびただ》しい時分を季節とする雷魚《はたはた》を醸成して、冬季蓋《ふた》をあけ、元旦に雑煮と一緒に用いるのが慣例である。釣瓶鮓については、天明版の「芳野紀行」に、

筏《いかだ》ふんで鉾桶あらふ女かな　几《き》董《とう》

というのがある。

早鮓というのは歳事記に「これまた一夜鮓という。多くは魚貝の数種を細く切って製す。ゆえに柿鮓《こけら》ともいう。その熟《じゆく》することはやし。よって早鮓、一夜鮓という」と出ている。

早鮓の蓋取る迄《まで》を唱和かな　太祇

早鮓に平相国の鱸《すずき》かな　同

早鮓に王思は飯を煽ぎけり　召《しよう》波《は》

夢さめてあはやと開く一夜鮓　　蕪村

などは明和安永時代を代表する名句である。

飯鮓というのは「毛吹草」の「和州南部飯鮓、世俗また夏月これを賞するなり。その製多しといへども、京の六条、南都の製に限る」を引用して歳事記に出ている。これは元禄ごろに、

飯鮓の鱧《はも》なつかしき都かな　　其《き》角《かく》

という有名な句がある。

月夜というのは「雍州府志《ようしゅうふし》」に「飯鮓の一名を月夜という。六条家にこれを製す。異名を月夜というは、その飯の精白を云《い》うにや」とあって飯鮓の異名である。

真しらげの米一升や鮓の飯　　蕪村

などはこれらをいったのであろう。

雀鮓は歳事記に「毛吹草」を引いて、「摂州福島の雀鮓、これ江鮒という魚なり。そ

の大きさ雀ほどありて、魚の腹に飯を多く入れたるが、膨《ぷく》らかにて雀の形によく似たり。よって名とす」とある。元禄ごろの句に、

羽のはへた飯に漬けてや雀鮓　意《い》朔《さく》

というのがある。羽のはえた飯というのは硬く炊いた飯という意である。

「五元集」に、

明石より雷晴れて鮓の蓋　其角

というのは、元禄ごろ鮨の蓋に明石傘の紙を用いたから、其角が江戸座一流の洒落を飛ばしたのである。

これらは元禄時代の鮨の句として有名であるが、元禄よりも天明時代のほうが鮨が一般的食物となったゆえか、天明時代のほうが鮨を題詠したものがはるかに多い。

なれ過ぎた鮓を主人の遺恨かな　蕪村

鮓桶をこれへと樹下に床几かな　同

鮓つけて誰待としもなき身かな　同

鮒《ふな》ずしや彦根か城に雲かかる　同

鮓つけてやがて去にたる魚屋哉　同

鮓をおす石上に詩を題すべく　同

鮓桶を洗へば浅き游魚かな　同

鮓の石に五更《こう》の鐘のひびきかな　同

寂寞と昼間を鮓のなれ加減　同

今少しなれぬを鮓の富貴かな　几董

鮓圧して我は人待つ男かな　召波

酒呵《あお》る人もや鮓に小盃　同

などは最も著名な句でまた活躍している。
明治以降は圧鮨よりも握鮨のほうが一般に賞美されているゆえか、俳季の鮨にはあまり名吟がない。

早鮓や東海道の魚背戸の蓼《たで》　子規
山の家や留守に雲起る鮓の石　同
鮓つけて睦しき大和河内かな　鳴雪
朝風や鮓売憩《いこ》ふ縁の下　同
百韻の巻全うして鮓なれたり　鷗外
鮎鮓《あゆずし》や生きて吉野の瀧の魚　同

鮓の石狐の跡と判ずべく　碧梧桐

鮓米や白きが上の夜の露　同

戦に馴れて鮓売りに来る女哉　虚子

鮒鮓や膳所《ぜぜ》の城下に浪々《ろうろう》の身　同

昼の蚊や鮓を圧したる石暗し　同

なれすぎた鮓を女房の寝覚《ねざめ》哉　肋骨

蠟燭《ろうそく》や鮓桶ならぶ台所　同

鮓桶に五湖の鮒とぞ題しける　紅緑

妻を呼び鮓桶の蓋を取って曰く　同

岩倉や鮓売る頃のほととぎす　鼠骨

雨の日や去来から鮓なんぞ来る　霽《せい》月《げつ》

起き出でて宵の鮓くふ男かな　四《し》方《ほう》太《だ》

草庵の夏や常世が一夜鮓　紅葉

鮓の客布衣集って談高し　六花

一封米やをら鮓圧す主かな　井《せい》泉《せん》水《すい》

一夜一句推敲す腹や鮓の味　同

琴碁蘭竹鮒鮓ありて五君哉　乙《おつ》字《じ》

飯鮓に橙しぼる山家かな　同

鮓圧して塔会の占を聞く夜哉　観魚

湯婆鮓もまた珍らしや西の京　同

早鮓や三国一の馴《なれ》加減　師竹

洞天の一品といふ鮓の石　同

鮓の石水を灌ぎて鏘然《しょうぜん》たり　桜《おう》磈《かい》子《し》

山風やしたたかさます鮓の飯　葵郷

早鮓の馴るるしじまを小雨哉　丹沙郎

鯖《さば》鮨《ずし》の銀が曇れば馴るるなり　蒲公英

葉茗荷の香を圧しこむや一夜鮓　寛愛

釣瓶《つるべ》鮓《ずし》の名もなつかしき土産哉　波那女《はなじょ》

鮓圧すや県祭の夜の雨　天雫

鮓漬けし後の徒然と灯しけり　伏兎

鮒鮓やうなじ吹かるる湖の風　恭子

などがやや吟唱すべきものであろう。

四十一、文芸に現れた鮨

芝居の上に現れた鮨といえば、誰もが義経千本桜鮨屋の段を思い出すであろう。

〽立帰へる春は来れども花咲かず、娘がつけた鮓ならば、なれがよかろと買ひに来る。風味も吉野下市に、売り広めたる所の名物、釣瓶鮓屋の弥左衛門……

で、千本桜の五幕目は幕が開く。釣瓶鮓屋の場である。

〽愛に愛持つ鮎の鮓、押へて締めてなれさする。旨い盛りの振り袖が、釣瓶鮓とは物

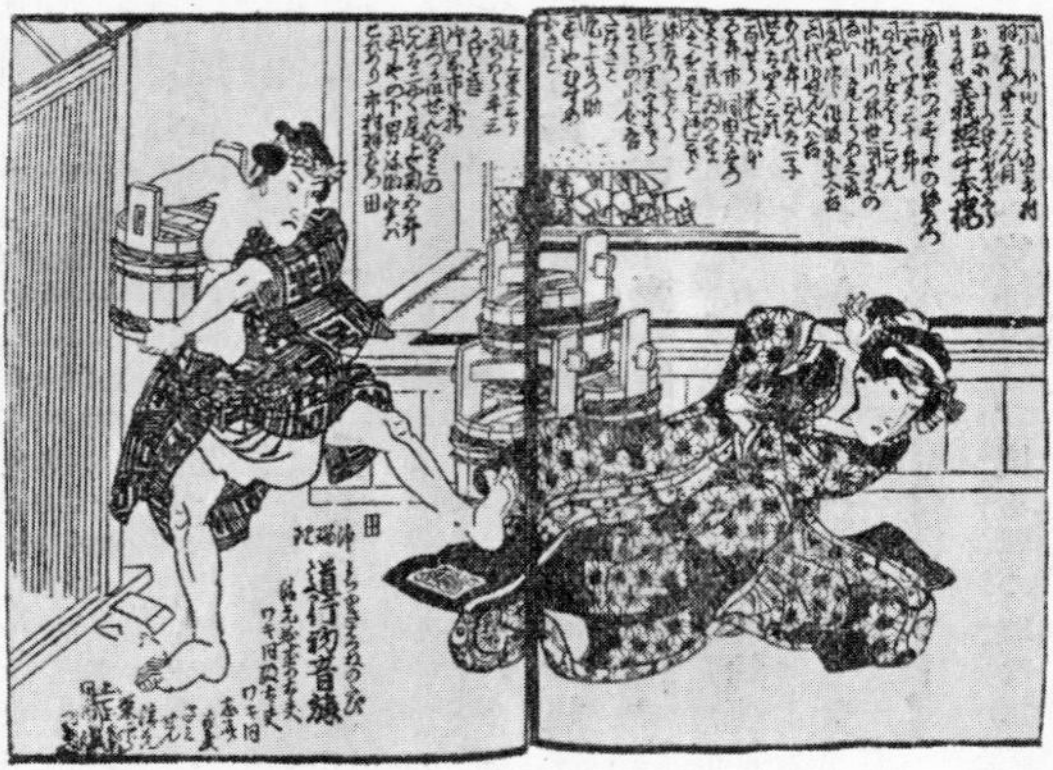

義経千本桜すし屋の場

らしく、締木に栓を打込んで、桶片付けて……

〽噂なかばへ空桶荷《にな》ひ、戻る男のとりなしも、利巧で伊達で色も香も、知る人ぞ知る優男、娘が好いた厚鬢《あつびん》に、冠り着せても憎からず、内へ入る間も待ちかねて、お里は嬉しく……

で、鮨屋の娘お里が娘だてらに、自分のほうから恋をしかけてゆく。おそらく当時におけるモダンガールの口説《くど》きであったと思われる節が多い。お里に慕われた店の若者弥助《やすけ》は実は三位《さんみ》中将維盛《これもり》であった。維盛が源氏を怖れて姿をやっしていたのである。芝居の筋の話はとにかく、鮨屋が舞台に使われた始まりであることが、鮨通たるものの興味持つゆえんである。

当時、吉野の下市村に釣瓶鮓というのがあって、その名を浄瑠璃作者が取り入れたもので、竹田出雲、三好松洛、並木千柳の合作である。延享《えんきょう》四年十一月十六日、始めて大阪の竹本座に書き下され、その翌年三月、江戸の中村座に歌舞伎として上場された。

今日も弥助鮨、吉野鮨の屋号がなかなか多いのはこの劇に出発している。弥助が鮨の別称になっていることは既に説いた。

維盛卿がはたしてそんなにまでして世を忍んでいたかどうか、史実の辺は全く信じられない。それを作者が鮨屋に結びつけた理由も不明である。あるいは当時の平民階級に鮨屋というものが問題になっていたので仕組まれたのかとも思われる。本筋の人物でないお里が特色をもって書かれているのから考えて、書き下し当時、市巷の話題になった鮨屋の娘のモデルがあって、これを巧みに織り込んで、見物の拍手を当て込んだのかも知れない。とにかく今の小説にカフェーとか、麻雀倶楽部が盛んに書かれるごとく、鮨屋が取り扱われたのではないかと考えられる。したがってまた源平時代に、鮨屋がどの程度に発達していたかという事実の証拠には全く役立ちそうもない。

なにしろ古実の文献としては頼りにならないが、大衆の趣味を代表し、流行を生んでゆく演劇に現れた最初の鮨屋として、そして有名な劇であることからいって、一応は知っておくべきことであろう。

最近、すなわち明治大正以後の文学に現れた鮨というものを二、三挙げてみよう。泉鏡花、永井荷風両氏は風流、粋《すい》を好んだ作家である。前者には「玄武朱雀」があり、後者には「冷笑」がある。荷風は「冷笑」の中で、銀行家小山清に次のようなことを言わせている。

「日本の西洋料理は無暗《むやみ》に肉ばかりたくさんだ。少しも調和ということを考えない。本場には乙なものがある」と。そして次にその乙の問題について、

「全体、きわめて凝ったものは多少下卑たところがなくてはならんもので、つまり天ぷらや鮨の味は立食いをしなくては出ないという通り、西洋でも蝸牛《かたつむり》の焼いたものに、白葡萄酒《ぶどうしゅ》をひっかけるのなどは上品じゃないからな……。」

鮨の話というより食通論であるが、もう少し読んでゆくと、

「土地の特色を一番容易に、一番愉快に味わって、永く記憶に残すものはそれぞれの名物の飲食物ですからな。」

「東京特有の飲食物は何だろう。」

「鮨と天ぷらの立食いでしょうよ。鮨は魚河岸の朝、天ぷらは広小路の夜更と極《き》まってます。」

「同じ食物でも場所が悪いと食う気になれない……。」

「それが食物と追想、実感と空想の交叉だ」など。

荷風氏の食通は江戸以来の伝統的な味わいで興味深い。里見弴《とん》氏などにもこうした趣好があって、かつ荷風氏よりもやや後の人であり、独自の陶酔境を多分に持っている作家だけに、なにか変った、あるいは確然とした意見を持っているだろうと思うのだが、私は寡聞にしていまだこれを聞かない。

志賀直哉氏の小説に「小僧の神様」という傑作がある。素材が鮨で一貫している小説は、おそらくこの一篇のみであろう。

華屋の店

ある計量器《はかり》屋の小僧が番頭たちの話で、与兵衛の息子が松屋の近所に店を出したことを知った。小僧は一度でいいから旨い鮨を食べたいと日ごろ思っていたのである。彼はいつもすることなんだが、主人から渡される往復の電車賃の片道四銭を残して、「四銭あれば一つ食べられるが、一つ下さいとも言われないし」と諦めかねつつ主人の用事を済ましたが、やはり帰途、足は自然とそっちに向いてしまう。四ツ角の反対側の横町に、屋台で同じ屋号の華屋《はなや》という暖簾《のれん》がかかっているのを発見して、「海苔巻はありませんか」と入る。ところが「今日はできないよ」とあっさりいわれる。仕方なしに前下がりの厚い欅板の上に、三つほど並んでいる鮪の鮨を一つ摑んだ。摑んだ時、主人が「一つ六銭だよ」といい放った。客を見るに慣れた冷たい挨拶である。小僧は落すようにその鮨をまた黙って元の台の上に置いた。——

いっぽう若い貴族院議員のAが、仲間のBから鮨の趣味は握ったそばから手摑みで食う屋台の鮨でなければ解らないと言われた。

「こういう手つきをして、魚のほうを下にして一ぺんに口へほうり込むが、あれが通《つう》なのかい。」

「まあ鮪は大概ああして食うやうだ。つまり魚が悪かった場合、舌へヒリリッと来るのですぐ知れるからなんだ。」

で、AはBの通も怪しいものだなと笑った。笑ったが食べにゆく。食べに行ったのが小僧の入った屋台である。そして小僧の惨めな姿――心を目の前に見た。彼は小僧にいたく同情して、あんな小僧に腹いっぱい食わしてやりたいものだと思った。しかしその場ではツイ機会を失ってしまう。

その後、彼は自分の子供の体重を知るために、計量器《はかり》屋へ計量器を買いにゆく。そこで例の小僧を発見し、計量器を家へ届けさせるという口実で、店から誘い出して鮨屋へ連れてゆき、思う存分に食わせる。鮨屋では旦那からたくさんお金を預っているから、といって小僧にしきりに食べさせようとしたが、小僧は日頃の念願がとどいた今、案外に食べられない。ではまた食べにおいで、お金はまだまだ余分に預っているからといわれて帰る。しかし小僧はそれっきり行かなかった。行かなかったものの親切な紳士のことが忘れられない。思いが過ぎて、親切な紳士は人間ではなくてお狐様かも知れない。洋服は着ているが、新しい時代のお狐様は洋服ぐらい着てるのだろうと考え及ぶ。そして作者は最後に断り書きして、小僧が途中から計量器を配達してもらった車屋に紳士の家を聞き、お礼に行ったが、聞いて行った処には家がなく、小さな祠が一つあったとまで書きたかったが、それではあんまり小僧の心が惨めすぎるので止したといっている。小説では紳士の見識や対面、神経質な思慮や同情など細かに書いてあるがここでは略す。ただ片道は歩いて四銭を失敬しているような小僧が、食べたいと夢にも見かねない鮨が一つ六銭だったために暖簾《のれん》からしょんぼり出る。その時の小僧の辛い恥しい心の描写など、小僧のために一掬《いっきく》の涙をさそわれる。そしてその鮨をたら腹食べさせてくれた人を、お狐様とまで思い込ませるほどに心が進展する。鮨に魅力を感じる小僧という素材の中心点が面白い。

それから池谷信三郎氏の「望郷」の一節に、姦夫姦婦を「宇の丸の鮨じゃないが、二つに並べて四つに切って」といった言葉が出てくる。日本橋の旧魚河岸の宇の丸鮨のことであって、そこでは必ず二つずつ皿に盛るのが他店と異なる特色である。そして庖丁が真中に入っている。人前では大きな口の開けない淑女たちに食べいいようにというのが目的であるが、哥兄《あにい》連中の多い場所柄としては意外な趣好である。そして庖丁を入れる時には、この二つを必ず一緒に並べて胴切りに切るのが、これまた特色の一つであって、姦夫姦婦の処刑の引合いに出すには甚だ似合わしい形のものである。池谷氏の小説を読んで、なるほどと手を打った人も私一人だけではあるまいと思う。

このほか、多少でも話が鮨に及んでいる作品を求めるなら決して尠《すく》なくはない。しかし残念なことに、いずれをみても鮨の味を説明、描写した作品はない。ただ場面の点景

旧魚河岸の「宇の丸鮨」

に用いられるくらいのものであって、盛り鮨における笹の葉の役ほども文芸上に貢献しているものはない。これは鮨が味覚の芸術であって、おのずとその領域を異にしているのだから、小説の素材としては本格以外の役目であって、問題視されないのも当然のことであろう。

鮨屋が時代を代表し、あるいは象徴していないことは事実であるが、しかしカフェー小説が流行して鮨屋小説に乏しいといって、なげくにもまた及ばないことであろう。

〔完〕

あとがき

私は鮨について他人に語ろうなんて努力したことは今まで少しもなかった。また衒学的《ペダンティック》な気持など微塵もなかった。まして通人たらんとも、鮨通たらんとも思ったことは少しもなかった。ただ美味を美味をと追求したのである。そして天ぷらも、鰻《うなぎ》も、蕎麦《そば》も、鮨もその追求の的《まと》であった。しかし味覚の矢はいつも握りの鮨にむかうことが多かった。それは多種多様の味を持つ鮨の魅力のためである。どこそこの穴子は旨いと聞けば、一里も二里も遠しとはしなかった。またあそこの赤貝は素敵だといえば、いま飯を食ったばかりであってもすぐ飛んでいってしまった。こんな間に見たり、聞いたり、読んだりしたことを書きあつめたのが、この一書である。

鮨は昔から主として町人の間に発達してきた食物だけに、何々流とか何々式とかいったような窮屈な形式がない。いたって自由に取扱われてきたから、それだけ個人個人の意見があって、何かにつけとかく文句の多い代物である。それで「鮨の講釈」という諺《ことわざ》みたいな言葉もできて、鮨についてとやかくいうのは、結局一人よがりのキザなものにきまっている。だからこの本がいかに多くのキザの寄せ集めであるかは、充分承知している。ただ本書を読んでくださる方々が、キザな奴だな——と思えば、「人の振り見て我が振り直せ」であるから、もうそれで幸である。

終りにのぞんで多大のご援助を煩わした小泉迂外氏、新楽千雨氏、入江幹蔵氏、諸兄のご厚情を深く感謝して置く。

昭和五年八月

著者識

永《なが》瀬《せ》牙《が》之《の》輔《すけ》著

すし通《つう》

2017年1月1日初版第一刷
2024年1月1日初版第二刷

発行 土曜社
東京都江東区東雲
1-1-16-911

味の素食の文化センター所蔵の
四六書院版(昭和5年初版本)を
底本としました

本書を読み終えた方へ

二木謙三　完全営養と玄米食

「白米を食べておると副食物が複雑してくるから、中流以下では収入の六割から七割が食費に消える。玄米にすると二割か三割ですむ」「昔は親が生米を噛んでそれを子供に与えたものである」腹式呼吸と玄米食による二木式健康法の精髄。

ボーデイン　キッチン・コンフィデンシャル　野中邦子訳

CIA（米国料理学院）出身の異色シェフがレストラン業界内部のインテリジェンスをあばく。2001年に初版が出るや、たちまちニューヨーク・タイムズ紙がベストセラーと認め、著者は自分の名を冠したテレビ番組のホストという栄誉を得（その後離婚と再婚もした）、料理のセクシーさに目覚めた（血迷った）読者をしてかたぎの職場を捨て去りコックの門を叩かしめた（という実例を私は知っている）、男子一生の進退をゆるがしてやまない自伝的実録。

ボーデイン　クックズ・ツアー　野中邦子訳

「こんなアイデアはどうかな？」私は編集者にいった。「世界中を旅して、好きなことをやる。高級ホテルにも泊まれば、おんぼろの宿にも泊まる。風変わりでエキゾチックな旨い料理を食べ、映画で見たようなかっこいい体験を試みながら、究極の食事を探す。どうだい？」……。前作「キッチン・コンフィデンシャル」から一年、人気絶頂の米国人シェフが、悪魔（テレビ）に身を委ね、究極の食事を求めて世界をゆく。東京・熱海篇も収録。

ヘミングウェイ　移動祝祭日　福田陸太郎訳

――もしきみが幸運にも青年時代にパリに住んだとすれば、きみが残りの人生をどこで過そうともパリはきみについてまわる。なぜならパリは移動祝祭日だからだ。1920年代パリの修業時代を描くヘミングウェイ61歳の絶筆を、詩人・福田陸太郎の定訳でおくる。